Mitología japonesa

Una fascinante guía del folclore japonés, mitos, cuentos de hadas, yokai, héroes y heroínas

Índice

Introducción

El estudio de la mitología y el folclore es peculiar en la medida en que investigamos cosas que generalmente se consideran falsas, pero de una importancia crítica para una determinada cultura. También asumimos el estudio de la "tradición popular", y esto nos enfrenta a la cuestión de exactamente de qué pueblo estamos hablando. Japón, por supuesto, es una sola nación, pero sus orígenes son tan antiguos y a menudo tan fragmentados que la mitología y el folclore unificados pueden ser difíciles de identificar. Aun así, en total, hay algunos textos clave, cuentos y personajes en los que podemos centrarnos y que nos darán una buena idea de la mitología japonesa.

La cultura japonesa ofrece una gran riqueza de tradición religiosa, mitología y folclore impresionante. Los primeros mitos encontrados en los dos principales libros religiosos, el *Kojiki* y el *Nihon Shoki*, ofrecen las oscuras y a menudo difíciles historias de la primera creación, el nacimiento de las islas de Japón, y las líneas ancestrales de los emperadores. Estos textos, aunque a veces distantes para un lector contemporáneo, están llenos de extrañas historias de la magia de los dioses. Ofrecen numerosos dioses para todo en el cielo y la tierra. Las reglas de los juegos a los que juegan pueden ser a veces difíciles de entender. Incluso la importancia de los números puede ser confusa, pero hay una lógica en estos textos. Hay un elaborado código de conducta y un exhaustivo linaje que está diseñado para llevar al lector hasta los emperadores históricos de Japón.

Probablemente es importante recordar mientras trabajamos en estos libros que, aunque son los textos más antiguos de la mitología japonesa, son una amalgama de la tradición china e india que llegó a Japón y se mezcla con las primeras creencias del antiguo Japón. Si la cosa se pone confusa, es porque las historias en sí mismas son confusas. Sin embargo, como todos los sistemas mitológicos, es quizás un error tratar de asignar una lógica muy humana a los pensamientos y acciones de las deidades que preceden a la humanidad.

El *Kojiki* y el *Nihon Shoki* son los textos sagrados de la religión sintoísta que impregna Japón hasta el día de hoy. Aunque podemos leer estos textos como mitología y folclore, también son leídos por algunos como textos religiosos. El *Kojiki* y el *Nihon Shoki* son las primeras historias que llegaron a formar la religión sintoísta.

Antes de profundizar en el *Kojiki* y el *Nihon Shoki*, es útil estudiar las ideas básicas de la religión sintoísta. Se cree que el sintoísmo es la religión y la tradición indígena de Japón. Como veremos, una de las características más críticas del sintoísmo es la adoración de los antepasados, pero esto está ligado a la adoración de los kami, o, traducido en términos generales, las deidades. Dado que el sintoísmo reverencia el mundo natural como una característica de la creación divina, encontramos kami en todos los aspectos de la vida y la naturaleza. En una época, los kami eran venerados y adorados en casi cualquier lugar y en todas partes. Ahora uno encontrará jinja, o templos designados específicamente para adorar a kami específicos.

Kami

Desde la antigüedad, la cultura japonesa ha implicado un tremendo respeto y asombro por la naturaleza y todas las características del mundo natural. Por esta razón, casi todos los aspectos de la naturaleza se asocian con kami específicos. Así que existe el sol, la luna y la tierra, y existe un kami correspondiente a cada uno de ellos. Como veremos en los libros centrales que forman la base de las creencias y prácticas sintoístas, hay kami para cada aspecto de la vida y la muerte. Los que asisten a la muerte son feos y aterradores. Pero esto no debería llevarnos a creer que los kami asociados con la vida son completamente benignos. La religión sintoísta acepta que la naturaleza es caprichosa y peligrosa. Lo que nos da la vida es lo mismo que nos la quita. Los kami no existen simplemente para complacer a la humanidad y hacer la vida pacífica y fácil. Los kami de la religión sintoísta animan todos los aspectos de la vida y por lo tanto son un rasgo esencial de las cosas que son desagradables. La religión sintoísta parece aceptar que hay que tomar lo amargo con lo dulce.

Jinja

A lo largo del Kijiki, por ejemplo, encontramos puntos en las historias que designan lugares geográficos específicos como los sitios donde las deidades realizaron ciertas funciones. La puerta de entrada al inframundo existe como un sitio geográfico real. En otros lugares, las formas de los kami designan áreas para la adoración y la realización de rituales. En una época, los árboles de hoja perenne, por ejemplo, se decoraban para adorar y venerar a los kami de la naturaleza y para realizar rituales sagrados. Con el tiempo, estas áreas han sido marcadas por santuarios llamados Jinja. Estos son principalmente templos dedicados a kami específicos. Son las estructuras familiares de estilo pabellón tan estrechamente asociadas a la cultura japonesa.

Más allá de estos textos antiguos que siguen siendo significativos como textos religiosos hasta el día de hoy, la cultura japonesa ofrece una riqueza de otras historias mitológicas. Los yokai son las hadas y los duendes de Japón. Estas criaturas son difíciles de precisar porque son tan inconsistentes en sus hábitos y formas como las hadas y los elfos de otras partes del mundo.

Los yokai pueden ser extremadamente peligrosos y los tres que veremos son los más peligrosos. Los yokai pueden transformarse en oni, o demonios, en cuyo momento se vuelven malévolos y destructivos. Otros yokai son simplemente criaturas indiferentes que habitan en un espacio que parece ser adyacente a nuestro mundo. Van y vienen sin causar muchos problemas a menos que perciban un error por parte del mundo humano. Como veremos, así como Japón mantiene la tradición de los yokai más malvados, también existen yokai que conceden deseos.

Además de estos reinos mitológicos, Japón también tiene su reserva de cuentos de hadas. Los cuentos de hadas de Japón siguen temas que son a la vez familiares y extraños. La figura del dragón se extiende en los cuentos de hadas japoneses y los dragones no son necesariamente las temibles criaturas que conocemos de las tradiciones occidentales. Los dragones ocupan un lugar diferente en la tradición japonesa. A veces son bastante gentiles; otras veces tienen la posición de la más alta realeza.

Como en los cuentos de hadas a los que estamos acostumbrados, la tradición japonesa incluye cuentos de maravillas simples y magia, y cuentos diseñados para enseñar lecciones a los niños. Veremos solo un par de estos cuentos.

Finalmente, veremos un héroe y una heroína de la tradición mitológica japonesa. Inglaterra tiene al rey Arturo, los griegos tenían a Aquiles, y los romanos tenían a Ulises. La tradición japonesa tiene personajes que cumplen funciones culturales similares. Como en los otros aspectos de la mitología japonesa, hay diferencias con los mitos occidentales a los que estamos más acostumbrados. Pero los héroes que veremos son igual de valientes y majestuosos en formas que sirven a los ideales japoneses de heroísmo.

Capítulo 1 - Introducción al Kojiki

Uno de los textos más importantes de la mitología japonesa, de hecho, posiblemente el texto central para la cultura espiritual japonesa es el *Kojiki* o Registro de Asuntos Antiguos. Recopilado por primera vez en el siglo VIII (711-712 d. C.), el *Kojiki* es el texto de la antigua religión sintoísta y las creencias espirituales que la sustentan. Los mitos de la creación, las historias que han dado forma a la mitología en Japón se originan en el *Kojiki*. El origen de los emperadores se encuentra en este texto. Los emperadores de Japón encontraron sus raíces en los dioses que dieron origen a las islas de Japón.

Hay tres secciones principales de la *Kojiki*. La primera es la Kamitsumaki. Contiene el prefacio del *Kojiki* y las historias de la Era de los Dioses. También incluye las historias de la creación, la creación y fundación de Japón y el origen de los emperadores. La segunda sección, el Nakatsumaki, comienza con la historia del primer emperador, Jimmu. Esta cuenta su conquista de Japón y lleva al lector hasta el 15º Emperador, Ojin. Finalmente, el texto traza los reinados de los emperadores del 16º al 33º en lo que se titula Shimotsumaki. La tercera y última sección muestra la limitada interacción entre el mundo humano y los dioses.

El *Kojiki* mezcla los reinos de lo humano y lo divino de una manera que reconocemos de otros sistemas mitológicos. La biblia judeo-cristiana ofrece numerosos relatos de estas interacciones entre los humanos y Dios. Los griegos y romanos desarrollaron todos sus modos de creencia y toda su estructura de mitos a partir del diálogo entre los dioses y los humanos. El *Kojiki* sigue un patrón similar, con los dioses alejándose del contacto íntimo con el reino humano cuanto más nos acercamos a la historia registrada.

El *Kojiki*, como la mayoría de los otros grandes textos de los orígenes antiguos, tiene una historia incierta. La mayoría de los eruditos están de acuerdo en que gran parte del texto se basa en la mitología china, que ejerció una enorme influencia en la cultura japonesa temprana. Hasta aproximadamente el siglo VIII, la mayoría de los mitos y leyendas de Japón fueron guardados en privado por familias individuales. Fue el emperador Temmu en 681 quien se volvió inflexible en la compilación de estos mitos y leyendas en un solo texto. Permaneció inactivo durante 25 años antes de ser finalmente completado. Sin importar las diversas fuentes, el lugar central del *Kojiki* en la cultura japonesa moderna y la práctica sintoísta moderna no puede ser negado. El *Kojiki* es un texto japonés.

Las historias de la creación

Como casi todos los sistemas mitológicos, el *Kojiki* comienza con los mitos de la creación. El texto comienza con la creación de siete deidades. La mayoría está de acuerdo en que el punto crucial del mito de la creación comienza con los dioses hermanos, Izanagi e Izanami, que pusieron en marcha el nacimiento de las tierras y los pueblos que vendrían. Se nos dice que a este hermano y hermana se les concede una lanza celestial con joyas que sumergen en el agua salada. Cuando levantan la lanza, ésta gotea la salmuera en el aceite que era el espacio primitivo antes de la creación de la tierra hasta que se formó una isla: "Esta es la isla de Onogoro", como explica el texto.

Desde aquí el *Kojiki* relata la creación de fuerzas naturales como el sol, la luna y el fuego, todas ellas vivificadas por los dioses y diosas que las acompañan. Los más notables son la Diosa del Sol y su hermano, Susano-o, y los conflictos entre ambos. Susano-o es visto como el rebelde en el texto, análogo a otros rebeldes en la mitología como Loki en la tradición nórdica. También se le llama malvado, lo que lo convertiría en algo parecido al diablo, excepto que la tradición japonesa consiste en otros personajes demoníacos. Es a partir de Susano-o que se trazan las dinastías de los emperadores.

Las siguientes dos secciones se refieren más generalmente a las vastas genealogías de las líneas reales. Comenzando con los seres sobrenaturales y los cuentos, el *Kojiki* cuenta el surgimiento del emperador mitológico y la emperatriz Jimmu y Sojin. Leemos sobre el surgimiento de los héroes mitológicos Yamato-Take y Jin-go. En total, el texto traza las genealogías de 17 emperadores a lo largo de muchos siglos.

Hay toda una literatura de investigación sobre el *Kojiki*, y usted podría pasarse la vida estudiando este texto. La importancia de este libro no puede ser suficientemente enfatizada, ya que es uno de los textos fundadores tanto de la religión sintoísta como del origen de la identidad nacional japonesa.

Para el lector occidental, es fácil confundirse al leer el *Kojiki*. Los nombres son desconocidos, y algunos de los rasgos de la mitología son desconocidos para nosotros. El número ocho tiene un significado extraño, mientras que en la tradición judeo-cristiana es el número siete. La tremenda importancia que Izanami da a su vergüenza puede ser extraña para algunos lectores. Sin embargo, hay numerosos puntos de referencia que serán bastante familiares. Los misteriosos comienzos de las deidades son sorprendentemente similares a los insondables orígenes de los dioses en otros mitos. La tensión entre los cielos, la tierra y el inframundo nos es familiar. Y la engañosa inteligencia del héroe, Susano-o, no debería sorprendernos.

Dado que el *Kojiki* contiene una cantidad tan grande de información, incluyendo largas genealogías de emperadores, ayuda centrarse en algunas de las mitologías incluidas en el texto. Es interesante la antigua historia japonesa de la Creación y los Orígenes y el surgimiento de Susano-o, el gran héroe y embaucador de la *Kojiki*.

Los mitos de los orígenes

Antes de la creación, el centro de la deidad del cielo y la deidad reproductora existían en la llanura del alto cielo. Luego vino la maravillosa deidad que se reproduce. Estas deidades vivían solas cuando toda la creación consistía en la tierra y el mar. La tierra y el mar no estaban formados y existían como un petróleo. El *Kojiki* explica que la tierra y el mar flotaban como medusas sobre el petróleo. Luego vinieron el Dios de la Agradable Caña de Tirar Príncipe Anciano y el Dios Divino Eterno. Esto nos lleva a la época de las Siete Generaciones Divinas, que primero son el Dios- Terrenal-Eterno y el Dios-Grande-Integrar-Amo. Lo que sigue es el Dios-Fango-Tierra-Señor y su hermana la Diosa-Fango-Tierra-Señora. A continuación aparecen el Dios Germen Integrador y su hermana la Diosa Vital Integradora. Finalmente, el orden de las deidades originales es el siguiente: El Anciano del Gran Lugar y su hermana Anciana-Dama del Gran Lugar; Perfecto-Exterior y su hermana Oh-Dama Fantástica; Hombre-quien-Invita y su hermana Mujer-quien-Invita. Estas son las generaciones de las deidades que preceden a la creación del mundo.

Con todas las deidades reunidas se ordena que el Hombre-quien-invita, Izanagi, y su hermana Mujer-quien-invita, Izanami, den a luz en una isla a la deriva. Estas son las dos principales deidades creadas. Se les da una lanza con joyas. Las dos deidades se paran en el puente flotante del cielo y hunden la lanza enjoyada en la salmuera del mar no formado. Al retirar la lanza, la salmuera gotea y forma la isla de Onogoro que significa "auto-condensado". Este es el origen de la primera creación. Las islas que vendrían a formar parte de Japón se derivan de este momento en el *Kojiki*.

El viaje al inframundo

Después de la creación de las islas y las cosas del mundo, Izanami dio a luz al dios del fuego, Kagutsuchi. En el proceso, se quemó terriblemente y finalmente murió por sus heridas. Izanagi la enterró en el monte Hiba y su espíritu descendió a Yomi-no-kuni que es el inframundo.

Luego de la muerte de Izanami, Izanagi la echó de menos demasiado y decidió ir a buscarla. Viajó al monte Hiba y encontró las puertas de Yomi-no-kuni. El espíritu de Izanami le saludó en las puertas. Izanagi le dijo que no habían terminado con la creación del mundo. Quería que volviera con él, pero ella le dijo que ya había comido de la comida de la tierra y que no podía irse. Contempla la visita y las palabras de su hermano y le dice que como él ha viajado hasta ahí ella podía hablar con el señor de este mundo. Explica que Izanagi debe esperar. Le dice explícitamente que no debe mirarla.

Después de pasar un tiempo, Izanagi se impacienta. Rompiendo un diente del peine que llevaba en el pelo, hizo una antorcha para iluminar su camino y la persiguió. Entró en Yomi-no-kuni y la encontró pudriéndose. Estaba llena de gusanos. Ocho dioses del trueno colgaban de su cuerpo. Izanagi estaba aterrorizado y huyó. Izanami le dijo—: Te dije que no me miraras. Me has causado una gran vergüenza. —con esto, ordenó a las malvadas brujas del inframundo que lo persiguieran.

Izanagi corrió, pero las brujas empezaron a alcanzarlo. Desesperado, arrojó al suelo un mechón de su pelo que se convirtió en una parra llena de uvas. Esto hizo que las brujas se detuvieran para comer las uvas, pero comieron más rápido de lo que Izanagi esperaba, y rápidamente lo alcanzaron. Esta vez, rompió otro diente de su peine y lo tiró al suelo donde brotaron brotes de bambú. Las brujas se detuvieron para comer los brotes de bambú y de nuevo se retrasaron en su persecución de Izanagi.

Izanami, viendo que Izanagi escaparía, ordenó a los dioses del trueno y a un ejército de espíritus malignos que lo persiguieran. Izanagi sacó su espada y atacó a sus atacantes sin éxito. Siguió corriendo. Al acercarse a las puertas del inframundo, se encontró con un melocotonero. Arrancando tres melocotones, los arrojó a sus atacantes y los condujo de vuelta al inframundo.

Esta vez, la propia Izanami fue a por él. Izanagi cogió una roca gigante y bloqueó la entrada a Yomi-no-kuni, separando para siempre el inframundo de la tierra y a él mismo de Izanami. Aquí se despidieron por última vez.

Izanami pronunció una maldición: Cada día mataría a mil personas del mundo por la vergüenza que Izanagi le había causado. Izanagi respondió que a cambio, él "poblaría la tierra" con cinco mil habitantes. No se volvieron a ver nunca más.

Izanagi se bañó para quitar la suciedad del inframundo. Al hacer esto, nacieron muchas nuevas deidades. De ellas, la diosa del sol, Amaterasu, apareció mientras Izanagi se lavaba el ojo izquierdo. De su ojo derecho, nació la deidad de la luna, Tsukuyomi.

Izanagi amaba a sus hijos y le dio a cada uno un reino. Amaterasu recibió los cielos. A Tsukuyomi, le dio la noche. A una tercera deidad, Susano-o, que nació mientras Izanagi se lavaba la nariz, le dio los mares.

Estas nuevas deidades estaban felices con sus reinos. Sin embargo, Susano-o era rebelde. Actuó contra Izanagi. Por esto, fue desterrado a la Tierra.

El viaje de Susano-o

Después de ser desterrado a la tierra, Susano-o se encontró vagando por el río Hii hacia la tierra de Izumo. Notó unos palillos flotando por el río y decidió ver quién podía haberlos perdido. Finalmente se encontró con una pareja de ancianos y su hija, Kushinada-hime. La pareja lloraba desesperadamente, y Susano-o les preguntó por qué. Explicaron que su hija iba a ser sacrificada al monstruo serpiente, Yamata-no-Orochi. Este monstruo era asqueroso, con ocho cabezas y ocho colas; su cuerpo era lo suficientemente largo para cubrir ocho picos de montaña. Estaba cubierto de musgo y árboles, y su parte inferior estaba inflamada y manchada de sangre.

Susano-o descubrió además que la pareja tenía inicialmente ocho hijas, todas ellas habían sido sacrificadas a Yamata-no-Orochi cada año hasta que solo les quedaba Kushinada-hime. Susano-o le dijo a la pareja que si le daban la mano de su hija en matrimonio, él mataría a la serpiente. A lo que ellos accedieron felizmente.

Susano-o se puso a trabajar en sus preparativos. Primero convirtió a Yamata-no-Orochi en un peine y se lo puso en el pelo. Luego, instruyó a la pareja para que prepararan un poco de sake fuerte. Debían construir una valla alrededor de la casa con ocho puertas. Luego les ordenó que construyeran una plataforma y que colocaran una cuba llena de sake dentro de cada puerta. Cuando los preparativos estuvieron completos, les dijo que esperaran.

Susano-o sabía que a las serpientes les encantaba el sake, y como él esperaba, cada una de las ocho cabezas de la serpiente se sumergió en las ocho cubas de sake y bebió hasta que la serpiente estuvo bastante borracha. Pronto se desmayó por su estado de ebriedad.

Susano-o miró desde su escondite seguro. Tan pronto como vio que Yamata-no-Orochii estaba borracho y desmayado, saltó de su escondite y cortó la serpiente en pedazos hasta que el río Hii se enrojeció con su sangre.

Mientras Susano-o cortaba la cola de la serpiente, golpeó algo que rompió su hoja. Mientras examinaba el corte, descubrió una espada. Rápidamente se dio cuenta de que no era una espada ordinaria. Viendo su importancia, Susano-o ofreció la espada a su hermana, Amaterasu, la deidad del sol y gobernante de los cielos. La espada fue llamada Kusunagi-no-tsurugi, o la Gran Espada de Kusunagi. Se convirtió en uno de los tres grandes tesoros imperiales de Japón.

Habiendo matado a la horrible serpiente Yamata-no-Orichi, y con Kushinada-himi a salvo, Susano-o comenzó a buscar un lugar adecuado para construir un palacio. Después de un tiempo, llegó a Suga. Ahí decidió que este era el lugar donde se sentía en paz, y construyó su palacio. Poco después, apareció una gran nube. Susano-o miró al cielo y recitó su poema:

> Izumo es una tierra protegida por abundantes nubes
>
> Y como esta tierra de Izumo
>
> Construiré una valla para proteger el palacio
>
> Donde vivirá mi esposa
>
> Como las nubes en la tierra de Izumo

Con esto, Susano-o nombró a su suegro, Ashinazuchi, como cuidador del lugar. Susano-o y Kushinada-himi vivieron en el palacio de Suga. Se cree que el poema que Susano-o recitó es el origen de la poesía tradicional japonesa como el waka y el haiku.

Capítulo 2 - Introducción al Nihon Shoki

Además del *Kojiki*, el otro texto central de la religión y la espiritualidad japonesa es el *Nihon Shoki*. Este texto contiene muchos de los mismos cuentos sobre los orígenes del mundo y los dioses, pero proporciona algunas historias alternativas que ofrecen más detalles sobre las vidas y aventuras de los dioses y los primeros héroes y heroínas.

El principal significado del *Nihon Shoki* son las largas genealogías que proporcionan los orígenes de las dinastías reales y los orígenes divinos de los emperadores. Aunque esta información ocupa principalmente los dos últimos tercios del *Kojiki*, los detalles de las líneas genealógicas críticas parecerían ser el foco y propósito principal del *Nihon Shoki*. Sin embargo, este texto contiene una gran cantidad de material mitológico.

En el *Nihon Shoki*, encontramos las mismas figuras mitológicas. Izanami e Izanagi están presentes, y su importancia en el nacimiento de Japón es idéntica. Algunos de los otros personajes son ligeramente diferentes. El nacimiento del sol, la luna y varios rasgos de la tierra se detallan en el *Nihon Shoki*, y exploraremos algunas de estas historias. Nos encontraremos con el héroe y alborotador Susano-o, solo que en este texto, aparece como Susawono. Es la misma figura del embaucador del *Kojiki.*

El nacimiento de Amaterasu, Trukuyumi, Susawono, y el niño-sanguijuela

Cada uno de estos cuentos se divide en varias versiones. Aparentemente, la tradición oral de la cual este texto fue compilado, reunió una amplia variedad de material de origen. Se puede conjeturar que los primeros escribas del *Nihon Shoki* consideraron que todas las versiones del cuento eran dignas de ser preservadas y estudiadas. Por esta razón, preservaron y transcribieron la repetición que encontramos en la colección de historias. El siguiente resumen es de la sección cinco, versión principal.

Después de haber dado paso a la creación de la Tierra y de las islas de Japón, Izanami e Izanagi crearon el mar, los ríos y las montañas. Dieron nacimiento a Kukunochi, el ancestro de los árboles y a Kusanohime, el ancestro de la hierba, que también se llama Notsuchi.

Izanami e Izanagi hablaron entre ellos y dijeron—: Ya hemos dado a luz al país de las ocho islas, sus ríos, sus árboles y sus pastos; ¿por qué no damos a luz a los gobernantes de este país?—con lo que dieron a luz a Ohirume no Muchi, que también se llama Amaterasu. Esta es la diosa del sol. La niña era tan brillante que brillaba en cada rincón de Japón. Izanami e Izanagi se regocijaron con su hija, y dijeron—: Aunque nuestras respiraciones han sido muchas, todavía tenemos que hacer una para igualar a esta niña. Ella no debería residir en este país. Debería ser enviada al cielo, y se le deberían dar deberes celestiales. — usando el pilar de la tierra, la enviaron al cielo.

Después de esto, dieron a luz al dios de la luna que se llama Tsukuyomi no Mikoto. Brillaba como su hermana y fue enviado al cielo.

Luego dieron a luz al niño sanguijuela. Incluso cuando alcanzó la edad de tres años, sus piernas no le permitían estar de pie. Lo pusieron en un bote de alcanfor endurecido y lo arrojaron al viento.

El siguiente en nacer fue Susawono no Mikoto. En otra versión, se llama Kamususanowo no Mikoto. Susawono no Mikoto era descarado y cometió muchos actos de falta de respeto. También tenía el hábito de llorar y lamentarse frecuentemente. Causó la muerte de muchas personas en el país. Una vez causó que dos verdes montañas se marchitaran. Por ello, Izanami e Izanagi lo desterraron de su reino. Fue enviado al lejano Nenokuni.

La historia del peine y la maldición

La historia de Izanami e Izanagi en la que ella se transforma en un feo demonio y el subsiguiente viaje al inframundo se repite en *Nihon Shoki* con algunas diferencias. Merece la pena presentar esta versión alternativa, ya que este cuento es fundamental para las tradiciones mitológicas de Japón.

Izanagi siguió a Izanami a la tierra de Yomi. Cuando hablaron, Izanami le dijo—: ¿Por qué has llegado tan tarde? Ya he comido la comida de este mundo. Debo descansar así; por favor no me mires. — Izanagi no quiso escuchar. Se quitó el peine del pelo y rompió un diente. Con esto, hizo una antorcha. Cuando la miró, ella era horrorosa. El pus brotaba de ella y los gusanos se arrastraban sobre ella. Por esta razón, la gente hasta el día de hoy odia llevar una sola antorcha por la noche y se niega a tirar un peine al suelo.

Izanagi exclamó—He visitado sin saberlo una tierra contaminada—y rápidamente salió corriendo. Izanami dijo con vergüenza y remordimiento— ¿Por qué no me escuchaste? Ahora me has avergonzado. —con esto, soltó a las ocho mujeres feas de Yomi para que lo persiguieran y lo atraparan en Yomi.

Izanagi sacó su espada. La blandía detrás de él mientras huía. Tiró su tocado negro, y se transformó en uvas. Las ocho mujeres feas se detuvieron para comer las uvas. Cuando terminaron, continuaron persiguiéndolo. Izanagi tiró su peine, y se transformó en brotes de bambú. De nuevo, las ocho mujeres feas se detuvieron para comer los brotes de bambú y luego lo persiguieron rápidamente. Finalmente, Inzanagi persiguió a Izanami en persona, pero en ese momento ya estaba en la frontera entre Yomi y el mundo viviente.

En la frontera de Yomi, Izanagi levantó una roca gigante justo cuando las mujeres se acercaban a él. Izanagi cogió la roca y bloqueó la salida de Yomi. Pronunció el juramento de divorcio de Izanami.

Izanagi le dijo—: Si dices este juramento estrangularé a 1.000 personas de este mundo cada día que seas gobernante. —En respuesta, Izanagi dijo—: Si haces tal cosa, haré que nazcan 1.500 niños cada día. No pases de este punto. —tiró su bastón, llamado Funato no Kami; luego tiró su cinturón, llamado Nagachiha no Kami; luego tiró su túnica, llamada Wazurahi no Kami; luego tiró sus pantalones, que se llaman Akikuhi no Kami; luego tiró sus zapatos, llamados Chishiki no Kami. La roca permanece para bloquear el paso al inframundo.

[El paso al inframundo puede no ser un espacio físico, sino más bien un estado o período entre el momento en que dejas de respirar y el momento en que mueres].

Amaterasu y Susanowo

Esto es de la sección cinco, versión doce. El libro añade múltiples versiones, pero este es el relato central.

Izanagi decidió nombrar a sus tres hijos para gobernar las distintas llanuras. Amaterasu, el sol, debería gobernar los cielos, Tsukiyomi, la luna, debería ayudar a gobernar los cielos. Y Susanowo sería el gobernante de los mares.

Amaterasu dijo desde el cielo que había oído que en la llanura de abajo vivía Ukemochi no Kami. Le dijo a Tsukiyomi que fuera a ver. Tsukiyomi fue a la tierra para encontrar el origen de Ukemochi no kami que luego giró la cabeza para enfrentar el campo. Mientras lo hacía, le salió grano de la boca. Luego se volvió hacia el mar y todos los peces, grandes y pequeños, salieron de su boca. Cuando Ukemochi no Kami se volvió hacia las montañas, todos los animales de la tierra salieron de su boca. Ukemochi no kami entonces preparó la comida y la colocó en 100 mesas.

Tsukiyomi se enfadó y declaró—: ¡Asqueroso y vil! Deberías ofrecerme las cosas que salen de tu boca. —Tsukiyomi entonces sacó su espada y mató a Ukemochi no Kami. Cuando regresó al cielo e informó de esto a Amaterasu, ella se enfadó y le dijo que era un dios malvado y que no podía mirarlo. Los dos pasaron un día y una noche separados.

Amaterasu entonces envió a otro dios, Amano Kumahito para investigar el asunto. Sin embargo, Ukemochi no Kami ya estaba muerto, pero de la corona de su cabeza salieron vacas y caballos. El mijo creció de su frente y los gusanos de seda brotaron de sus cejas. Más mijo salió de sus ojos y arroz de su estómago. De sus genitales crecieron trigo y frijoles. Amano Kumahito recogió todas estas cosas y las llevó como ofrenda a Amaterasu.

Amaterasu estaba contenta con esto. Vio que la gente de la tierra podía comer y cultivarlas. El mijo, el trigo y las judías crecerían en los campos. El arroz llenaría el arrozal. Entonces nombró a un jefe de aldea en el cielo. El jefe comenzó a plantar y cultivar todo. Ameratasu se puso los gusanos de seda en la boca y enrolló el hilo y de esto surgió la sericultura.

El contrato de Amaterasu y Susawono
De la sección seis, versión dos

La diosa del sol conocía los malvados propósitos de su hermano Susawono y estaba preparada para él. Cuando él se acercó a ella en el cielo, ella se defendió con una espada de diez, nueve y ocho filos. También llevaba una flecha sagrada y una aljaba de flechas. Estaba segura de que él venía a robar su plano celestial, y se encontró con él en el cielo para defenderse.

Susanowo le dijo—: Al principio yo no era malo, y era puro de corazón. Solo vine a ver a mi hermana por un corto tiempo. — Amaterasu respondió—: Si tienes buenas intenciones, darás a luz niños.

Entonces Amaterasu se comió sus tres espadas y dio a luz a tres diosas, una por cada espada.

En respuesta a esto, Susanowo tomó un collar de 500 cuentas de jade de su hermana. Lo enjuagó en el pozo Nuna del cielo, y se comió el collar. Luego dio a luz a cinco dioses masculinos. Amaterasu supo entonces que Susanowo era puro de corazón. A cambio, envió a las tres diosas a la tierra para que atendieran a la gente de la tierra. El lugar al que las envió se llama Tsukushi y es venerado por ello hasta el día de hoy.

Capítulo 3 - Influencia e importancia de los Kojiki y Nihon Shoki en la religión indígena japonesa

La religión japonesa, tal como se practica hoy en día, es en gran parte una mezcla de budismo y sintoísmo. El *Kojiki* ejerce su influencia como una especie de texto dogmático. Funciona según el orden de la Santa Biblia, ya que sienta las bases de las prácticas religiosas japonesas.

La tradición japonesa que surge del *Kojiki* es una de adoración a los ancestros. A lo largo del *Kojiki* vemos que se trazan los linajes ancestrales. Incluso en los enfrentamientos entre la diosa del sol y Susanowo (o Susano-o, dependiendo del texto que leamos), somos testigos de un fuerte énfasis en los antepasados y los linajes. Las prácticas y creencias sintoístas aún veneran a los linajes ancestrales como parte integral de su sistema religioso.

La larga línea de deidades que se dan en detalle en el primer libro de *Kojiki* nos muestra la importancia de los antepasados. A medida que los dioses se dividen y se reproducen, la línea de descendencia es cuidadosamente delineada.

También debemos prestar atención a las cualidades claramente patriarcales de estos sistemas. Sin embargo, todavía vemos deidades y figuras femeninas muy apreciadas. Aunque la línea masculina puede ser la línea favorecida, la tradición que se encuentra en el *Kojiki* da gran valor a la femenina.

Dado que los ideales religiosos sintoístas se centran en la adoración de los antepasados y el linaje masculino, no debe sorprender que exista un culto al falo en la mitología japonesa. Los santuarios sagrados del Japón antiguo, y en menor medida, del Japón contemporáneo, todos contienen símbolos fálicos. Es fácil leer esto mal, ya que los lectores occidentales, como muchas otras culturas, también usan símbolos fálicos. No se trata de una deificación impúdica del falo. Más bien, los símbolos fálicos son imágenes sagradas de las líneas ancestrales que se transmiten a través del linaje masculino. Incluso el mito de la creación contiene la imagen de una lanza que se sumerge en la salmuera y luego gotea las semillas de la tierra. Estos son los tipos de imágenes fálicas que se consideran divinas en la antigua mitología japonesa.

Capítulo 4 - Yokai

Además de un texto tan esencial y unificador como el *Kojiki*, la mitología y el folclore japonés son ricos en cuentos de criaturas misteriosas y mágicas conocidas colectivamente como y okai. Los yokai van desde las criaturas malévolas que causan sufrimiento y desgracia, las meramente traviesas que causan estragos, hasta las que traen buena fortuna y bendiciones.

Gran parte de la tradición popular japonesa es una amalgama de diferentes tradiciones que han encontrado su camino en la tradición de la cultura japonesa. Aunque cambiadas y adaptadas para encajar en las tradiciones japonesas únicas y modificadas por las prácticas sintoístas y budistas posteriores, al menos algunos de los orígenes del yokai están en la tradición china e india.

Aunque el *Kojiki* contiene historias de magia, lo sobrenatural y los demonios, es una tradición distinta de los cuentos yokai. Muchas de las historias de los yokai están contenidas en diversas fuentes. No hay un texto central unificador como el que vemos en el *Kojiki*.

Durante el período Edo (1603-1868), Japón experimentó un tiempo de crecimiento artístico y cultural sin precedentes. Hubo un aumento en el interés por las historias de fantasmas y cuentos de lo sobrenatural que contenían demonios y criaturas mágicas benevolentes. Toriyama Sekien es una figura fundamental en este momento cultural. Registró un gran cuerpo de la tradición oral y lo compiló en pergaminos iluminados. Estos se convirtieron en una enciclopedia de varios volúmenes de cuentos populares y folclore japonés. Al hacer esto, abrió el camino para que otros artistas siguieran el ejemplo y comenzó el auge de los cuentos populares japoneses. El legado del Yokai en la más amplia imaginación japonesa es una de las características centrales de la obra de Toriyama Sekien.

Las historias de los yokai cayeron en desgracia cuando Japón buscó modernizarse en el siglo XX. Sin embargo, en los últimos años se ha visto un resurgimiento de la popularidad de los yokai. Ahora se recogen en numerosos volúmenes. Han sido ilustradas en novelas gráficas y anime japonés. Este tipo de historias que incluyen criaturas fantásticas, horribles y hermosas, son fácilmente accesibles para los animadores y los narradores modernos.

Los yokai vienen en una miríada de formas y tipos. Son análogos a los hados en muchos sentidos, y como los hados, varían en importancia. Entre los yokai, hay tres que son ampliamente considerados como los más malvados de todos. Shuten-doji, Tamamo no Mae y Sutoku son considerados tan malvados que son responsables de haber hundido a toda la nación de Japón en el caos y la ruina.

Los tres yokai más malvados de Japón

Shuten-doji

Antes de alcanzar su estatus de monstruo legendario, se creía que Shuten-doji era un simple, aunque problemático, niño huérfano. Tenía la reputación de ser extremadamente inteligente y fuerte, tanto que mucha gente creía que su padre debía ser un demonio de algún tipo, o incluso un dragón. A una edad temprana, Shuten-doji fue enviado a ser monje. Sin embargo, no estaba adaptado a la vida monástica. Trató a su superior, y a otros, con falta de respeto. Se metía en peleas. Lo más notable era que le gustaba el sake y bebía frecuentemente y en exceso. Así es como obtuvo el nombre de Shuten-doji, que significa "pequeño borracho".

Una noche, Shuten-doji se emborrachó y decidió hacer algunas bromas en un festival. Se puso una máscara oni, una cara de demonio, y se arrastró por el festival saltando y asustando a la gente. Cuando terminó, muy satisfecho consigo mismo, se escabulló e intentó quitarse la máscara oni. No pudo quitársela. Parecía que la máscara oni se había fundido a su cara. Ahora era parte de su cuerpo.

Cuando regresó, los monjes se burlaron de él y lo ridiculizaron por lo feo que se había vuelto. Incluso fue castigado por sus bromas y se le dijo lo malvado que era. Por eso, empezó a convertirse en un oni en lo más profundo de su ser. Su corazón se corrompió y se llenó de ira. Finalmente huyó de los monjes a las montañas para vivir como un ermitaño.

En su aislamiento y soledad, Shuten-doji comenzó a odiar el mundo. Llegó a abrazar su propia maldad y estudió magia negra. Empezó a usar su inteligencia y sus nuevos poderes malignos para atacar a viajeros y comerciantes. Incluso secuestró a hombres y mujeres jóvenes, y se dice que bebió su sangre y comió sus órganos.

Después de algún tiempo, otros demonios y criaturas malvadas se sintieron atraídos por él. Comenzó a acumular un ejército de onis y gente malvada. Mientras estos otros pasaban tiempo con Shuten-doji ellos también se transformaron en oni.

Finalmente, Shuten-doji y su ejército construyeron un castillo en el monte Oe. Planeó su venganza en el mundo de la gente. Buscó convertirse en el rey de Japón.

Shuten-doji comenzó a atacar al emperador de Japón. Usando su castillo de la montaña como base, comenzó su intento de tomar el control y continuó atacando más y más. Los secuestros y asesinatos también persistieron. Shuten-doji había lanzado un reino de terror.

Finalmente, el emperador Ichijo decidió que Shuten-doji y su ejército oni debían ser detenidos.

El emperador envió a su guerrero más valiente, Raiko, a escalar el monte Oe y traer de vuelta la cabeza de Shuten-doji. Raiko y sus hombres se dirigieron a las montañas. Allí encontraron al ejército oni dentro de su castillo bebiendo sake. Raijo y sus hombres envenenaron el sake y pusieron al ejército oni en un profundo sueño. Raiko y sus hombres pudieron entrar en el castillo.

Atacaron a los onis y los mataron uno por uno. Finalmente, se dirigieron a Shuten-doji. Raiko le cortó la cabeza al oni jing. Sin embargo, incluso muerto, Shuten-doji era tan poderoso que su cabeza mordió a Raiko y a sus hombres. Al final, enterraron la cabeza de Shuten-doji en las afueras de la ciudad donde no causaría más problemas.

[Hay muchas versiones del cuento de Shuten-doji. Su malévola influencia y su ruinoso legado es un mito esencial en la cultura e historia japonesa. Una de las más famosas es parte de una obra más extensa llamada *Ehon Hyaku Monogatari*. Es un texto iluminado que contiene un tratado completo sobre los yokai en general. Podemos ver esto como un antiguo precursor del manga con el que estamos familiarizados hoy en día.]

La historia de Tamamo no Mae

Tamamo no Mae es una de los yokai más notorias del folclore japonés. Hay numerosas historias sobre ella, y también aparece en las tradiciones chinas e indias. Ella es hermosa, pero horrorosa. Dirige orgías y asesinatos por dondequiera que va, es la sembradora de la discordia en cada historia asociada a ella.

A diferencia de Shuten-doji, Tamamo no Mae era malvada por naturaleza propia. Empezó como una zorra cambiaformas con nueve colas. Su maldad y su ambición eran incomparables en el mundo. En una época, se disfrazó de niña humana y fue acogida por una pareja de ancianos que no podían tener hijos propios. Esta pareja la crio como si fuera suya y la llamaron Mikuzume.

De joven, Mikuzume demostró ser excepcionalmente talentosa y brillante. Por estas razones, atrajo la atención de casi todo el mundo. Tan dotada era que a la edad de siete años fue invitada a recitar poesía para el emperador Toba, quien se quedó tan impresionado que le ofreció un puesto como sirvienta en la corte imperial.

Mikuzume se convirtió rápidamente en una estrella de la corte. Absorbió el conocimiento como nadie antes. No había nada que estuviera más allá de ella. Sobresalía en música, historia, astronomía, religión y clásicos chinos. Era increíblemente hermosa, e incluso su ropa era perfecta. Olía encantadora. Todos los que la veían se enamoraban de ella al instante.

Durante un recital de poesía, un verano, una poderosa tormenta golpeó, y los vientos apagaron todas las velas de la sala de recitales. De repente, para asombro de todos, una misteriosa luz comenzó a emanar del cuerpo de Mikuzume. La gente del público estaba aturdida y consternada. Alguien declaró que Mikuzume debió haber tenido una vida santa en una vida pasada y se le dio el nombre de Tamamo no Mae. El emperador Toba, que ya estaba enamorado de la chica, la invitó a ser su consorte real.

No mucho después de esto, el emperador Toba se enfermó. La corte del emperador trajo a los médicos más eruditos. Ninguno de ellos pudo determinar lo que estaba mal. Trajeron sumos sacerdotes y hechiceros, consultaron todas las fuentes posibles para determinar la causa de la enfermedad del emperador. Nadie pudo averiguarlo. Los hechiceros sugirieron que alguien cercano al emperador lo estaba enfermando y hubo quienes sospecharon de Tamamo no Mae. Sugirieron que ella era una zorra disfrazada y que estaba usando magia para enfermar al emperador. Pero el emperador estaba tan cegado por el amor que se negó a escuchar estas preocupaciones. De hecho, era Tamamo no Mae. Ella estaba usando su magia maligna para acortar la vida del emperador.

Se decretó que un ritual divino sería necesario para salvar la vida del emperador. Se ordenó a Tamamo no Mae que participara. Los hechiceros que sospechaban de ella sabían que si la obligaban a recitar el ritual mágico, su magia maligna sería revelada. Tamamo no Mae también lo sabía, pero dada su posición, no tenía más remedio que seguir con los rituales mágicos. Todo salió bien para Tamamo no Mae incluso cuando recitó las palabras sagradas. Sin embargo, justo cuando estaba a punto de terminar la ceremonia y agitar el bastón mágico para completarla, desapareció de la vista. Así, las sospechas de los hechiceros se confirmaron.

El emperador, furioso por la traición, convocó a sus mejores guerreros y reunió un ejército de 80.000 hombres para cazar y matar a Tamamo no Mae. Llegaron informes de que uno de los guerreros había visto un zorro de nueve colas al este. Tamamo no Mae fue perseguida y cazada hasta las llanuras de Nasuno.

Justo antes de que el ejército la alcanzara, Tamamo no Mae se apareció ante uno de los hombres del emperador para suplicar por su vida. Se llamaba Miuranosuke. Lloró y le dijo que al día siguiente la encontraría y la mataría. Le rogó que la perdonara. Su belleza lo encantó, y su llanto lo conmovió. Pero él era un hombre de gran honor, y la rechazó.

Al día siguiente, como predijo Tamamo no Mae, Miuranosuke vio un zorro de nueve colas. Le disparó dos flechas y le atravesó el costado y el cuello. Otro soldado, Kazusanosuke, lanzó su espada a la cabeza del zorro. Tamamo no Mae cayó muerta. El ejército regresó al emperador con el cuerpo del zorro como prueba de que habían matado a Tamamo no Mae.

Sin embargo, el poder maligno de Tamamo no Mae persistió incluso después de su muerte. El gran emperador japonés murió sin un heredero. El emperador Toba murió poco después de esto. La crisis de autoridad sumió a Japón en el caos. Así, esta crisis de poder marcó el comienzo del ascenso de los shoguns.

El emperador Sutoku, o Sutoku Tenno

Está oficialmente registrado que el emperador Sutoku era el hijo mayor del emperador Toba. Sin embargo, también es ampliamente conocido y aceptado que fue, de hecho, el hijo del padre del emperador Toba, el emperador Shirakawa. Aunque el emperador Shirakawa estaba retirado, todavía tenía un considerable poder e influencia sobre los asuntos de la corte y movía los hilos en lo que se refería a las decisiones reales. El emperador Shirakawa obligó al emperador Toba a abdicar en favor de su hijo, Sutoku, que era más joven y a quien el emperador mayor podía controlar mucho más fácilmente que a Toba.

A la muerte de Shirakawa, Toba asumió el poder del trono. Como Toba consideraba a Sutoku un bastardo ilegítimo, comenzó su venganza convenciéndole de que nombrara al hijo de Toba como su sucesor. El hijo de Toba, Konoe, tenía solo tres años y, por consiguiente, era una marioneta de su padre, el emperador Toba. Con esto, el emperador Toba obligó a todos los seguidores de Sutoku a ser transferidos a provincias distantes, y llenó la capital con gente leal a Toba.

El emperador Konoe era un niño enfermizo y murió joven, a la edad de 17 años. Con esto, se produjo una lucha por el poder entre el siguiente hijo mayor de Toba y el hijo de Sutoku. Para entonces, la corte estaba llena de partidarios del emperador Toba y su hijo, Go-Shirakawa se convirtió en el sucesor en la línea.

Al año siguiente, Toba murió. Los seguidores de Sutoku intentaron recuperar el trono de Go-Shirakawa, y se produjo una sangrienta lucha. La rebelión fue derrotada y la venganza de Go-Shirakwa fue despiadada. Hizo que ejecutaran a todos los seguidores de Sutoku junto con sus familias, y Sutoku fue desterrado a Sanuki.

Sutoku vivió su vida en el exilio. Vivió como un monje, se afeitó la cabeza y pasó sus días copiando a mano los santos sutras. Después de muchos años de trabajo, envió sus pergaminos a Kyoto como ofrenda para los templos imperiales. Go-Shirakawa sospechó que Sutoku había maldecido los pergaminos y se negó a aceptarlos. En su lugar, fueron enviados de vuelta a Sutoku.

Sutoku estaba indignado por este rechazo, y éste fue el último insulto. En su furia, se mordió la lengua. Mientras se desangraba, pronunció una horrible maldición sobre el emperador y todo Japón. Mientras sangraba se transformó en un gran tengu. Su cabello y sus uñas crecieron largas, y nunca más se las cortó.

Finalmente, Sutoku murió. Los cuidadores dejaron su cuerpo a un lado y esperaron instrucciones del emperador para el entierro adecuado de Sutoku. Después de 20 días, su cuerpo estaba tan fresco como si aún estuviera vivo. Go-Shirakawa prohibió que nadie llorara a Sutoku, y no habría funeral. Los cuidadores estaban llevando su cuerpo para ser cremado cuando llegó una tormenta. Pusieron el cuerpo de Sutoku en el suelo mientras iban a cubrirse. Al acercarse al cuerpo, las piedras a su alrededor estaban cubiertas de sangre fresca. Después de ser incinerado, sus cenizas subieron al cielo y formaron una nube oscura que descendió sobre Kyoto.

Durante muchos años después de esto, Japón fue devastado por el desastre y la calamidad. El sucesor de Go-Shirakwa, el emperador Nijo, murió a la edad de 23 años. Todas las formas de desastre golpearon a Japón. Tormentas, plagas, terremotos, incendios y sequías se apoderaron de la nación. Muchos de los partidarios y aliados de Go-Shirakawa murieron en batalla, tanto que el propio Japón imperial se debilitó. Para 1180, la guerra civil había estallado. Después de cinco años, la corte imperial fue devastada. El shogunato de Kamakura tomó el control de Japón. Todavía se cree que todo esto fue el resultado de la maldición de Sutoku.

Estos tres yokai son los más malvados porque el legado que dejaron fue uno de agitación y casi ruina. El orden de la sociedad fue ordenado por los dioses en el *Kojiki* y el *Nihon Shoki*. Este orden es un orden divino y estos malvados yokai eran tan poderosos que fueron capaces de alterar o al menos desestabilizar este orden durante muchos años.

Yokai servicial

Hay muchos más yokai, y algunos son bastante serviciales. Los yokai son en muchos aspectos similares al Sighe irlandés, o gente pequeña. Pueden ser completamente malvados y destructivos. También pueden ser asistentes mágicos en las luchas diarias de la gente común. A medida que estos cuentos se desarrollaron y se transmitieron a través de los años, es fácil ver cómo algunos de los yokai llegaron a ser bendiciones mágicas en una vida rural que podía ser dura y difícil. Debido a que los ciclos de la naturaleza, la realidad de las enfermedades y el capricho momentáneo de la fortuna eran cosas completamente misteriosas para la gente de todo el mundo, la tradición japonesa creó a los yokai que podían ayudar a explicar estas cosas.

Kudan

Los kudan son ejemplos de aquellos yokai que existen para traer buena fortuna o al menos advertir de eventos peligrosos. Los kudan nacen de una vaca y se parecen a los terneros con rostros humanos. Pueden hablar inmediatamente. Los kudan nunca viven más de unos pocos días. Ofrecen profecías y predicciones. El kudan puede predecir grandes cosechas o sequías. No determinan los eventos, simplemente los predicen. Tan pronto como un kudan cumple su profecía, muere. De esta manera, el kudan puede al menos ofrecer a la gente la oportunidad de prepararse en caso de algo catastrófico.

Aunque ciertamente mucho más antiguos, los informes sobre el kudan surgieron en gran número al final del período Edo cuando el shogunato se desmoronó y Japón vio el regreso de la autoridad imperial. Se cree que el kudan predijo las guerras de Japón de los siglos XIX y XX. Había tanta fe en la existencia del kudan y en su palabra que los periódicos en Japón reclamaban la verdad de sus noticias diciendo "como si un kudan dijera". Esta frase continúa en el lenguaje común de Japón hasta el día de hoy.

El poder y la suerte del kudan es tal que la gente se anima a llevar talismanes con la imagen del kudan para la buena suerte. Los vendedores ambulantes y los hombres de feria fabricaban momias kudanas de terneros nacidos muertos y otros animales cobraban dinero para que la gente los viera. La gente pagaría una pequeña cantidad para ver las momias kudan con la esperanza de tener algo de la suerte y la buena fortuna de los kudan.

Amabie

Amabie, o más probablemente amabiko son similares a las sirenas. Viven en el mar y aparecen con una luz brillante. Están cubiertas de escamas, tienen una cara con pico y tres piernas.

Las amabiko se parecen a los kudan en que a menudo ofrecen profecías y predicciones. Los amabiko tienen el beneficio añadido de proporcionar protección contra las enfermedades. El amabiko parece haber empezado a aparecer en un momento de la historia en el que enfermedades como el cólera golpeaban en todo el mundo. El amabiko llegó para ofrecer protección.

Tanto el origen del nombre amabie como las variaciones del amabiko son desconocidos. Algunos estudiosos creen que el amabiko puede haber sido copiado de otros mitos y leyendas de otras partes del mundo.

La historia japonesa registra un avistamiento de un amabiko en 1846. En el actual Kumamoto varios testigos informaron haber visto una extraña luz en el mar. Eventualmente, un funcionario del gobierno salió a investigar. Afirma haber encontrado una amabiko que predijo una gran cosecha en los próximos años. Esta amabiko le instruyó además que en caso de un brote de enfermedad, a todos se les mostrara una foto de la amabiko para prevenir la enfermedad. La cosecha resultó ser una muy buena. Se publicó una foto de la amabiko en el periódico local para que todos pudieran ver la foto y así protegerse de la enfermedad.

Jinja hime

Los jinja hime son en muchos aspectos más similares a las sirenas que a las amabikos. Tienen la cabeza y la cara de una mujer humana. Sus cuerpos son como serpientes con aletas y escamas. Viven bajo el agua y rara vez interactúan con los seres humanos. Los jinja hime son sirvientes del palacio del Rey del Mar.

Más allá de las diferencias de apariencia, los jinja hime son sorprendentemente similares a los amabiko. De hecho, se cree que los jinja hime pueden ser la fuente de la tradición del amabiko.

Una historia, similar a la que acabamos de mencionar, dice que un hombre se encontró con una extraña criatura parecida a una sirena en el mar. Se acercó a él y le predijo una gran cosecha en los próximos años, pero también un brote de cólera. El jinja hime también instruyó al hombre para que se asegurara de que a todos se les mostrara una foto del jinja hime para protegerlos de la enfermedad.

Kyorinrin

Kyorinrin es un espíritu que se reúne a sí mismo a partir de libros y pergaminos que se dejan sin leer y sin estudiar. Él está hecho de las páginas y palabras de estos textos descuidados y crea largos brazos extensibles de las páginas de los libros.

Kyorinrin se adorna con ornamentos hechos de los pergaminos que han sido dejados en el olvido. También construye un tocado de los pergaminos, adornado con borlas. Con sus largos brazos extendidos, ataca a aquellos que ignoran los magníficos libros. Kyorinrin los reprende por su decisión de permanecer ignorantes.

Capítulo 5 - Cuentos de hadas japoneses

Como el resto del mundo, la cultura japonesa tiene una rica tradición de lo que hemos llegado a conocer como cuentos de hadas. Estos cuentos consisten en esas fábulas diseñadas para asustar a los niños o enseñarles valiosas lecciones sobre el mundo. Están llenos de magia extraña y personajes memorables que son sabios y aterradores, divertidos y tontos, hermosos y grotescos. Hay numerosas colecciones de estos cuentos. Hay versiones ilustradas disponibles. Con la popularidad de la animación japonesa, muchos de estos cuentos están disponibles en colecciones de cómics.

Muchos de estos cuentos son bastante antiguos y existían en la tradición oral mucho antes de que alguien los escribiera. Algunos cuentos parecen ser para la diversión general, y otros llevan lecciones o moralejas.

Sin embargo, como en los cuentos de hadas de todo el mundo, el simple placer que podemos obtener, jóvenes y viejos, de las fantásticas historias de magia, extrañas criaturas y monstruos, y los improbables acontecimientos todavía nos entretienen aunque no estemos familiarizados con todas las costumbres evocadas en los cuentos.

Mi Señor Bolsa de Arroz

Hace muchos años, vivió un guerrero que llegó a ser conocido como Tawara Toda, que significa "Mi Señor Bolsa de Arroz". Su verdadero nombre era Fujiwra Hidesato. Esta es la historia de cómo llegó a llamarse Tawara Toda.

Como era un guerrero y no estaba en su naturaleza sentarse y no hacer nada. Decidió un día ir en busca de aventuras. Se ató dos espadas junto con su arco. Luego se puso su aljaba llena de flechas sobre su hombro y se puso en marcha. No pasó mucho tiempo antes de llegar al puente de Seta-no-Karashi que se extiende a través del magnífico lago Biwa. Mientras cruzaba el puente, vio un enorme dragón. Parecía una serpiente, su cuerpo era tan grande que cubría todo el ancho del puente. Parecía como si el tronco de un árbol cubriera el puente. Una de las enormes garras del dragón estaba posada en el parapeto en un extremo del puente mientras su cola descansaba en el otro. Parecía estar durmiendo, aunque mientras respiraba, el fuego y el humo salían de su nariz.

Hidesato se sorprendió mucho al ver al dragón. No sabía exactamente cómo proceder. Como valiente guerrero, no pensó en volverse atrás. Al mismo tiempo, avanzar ciertamente significaba pisar al dragón y arriesgar su vida. Hidesato no vio otra opción, así que siguió adelante. Podía oír sus pasos mientras pisaba el cuerpo y las escamas del dragón. Habiendo logrado cruzar, siguió adelante sin pensarlo dos veces.

Mientras caminaba, escuchó una voz que llamaba. Cuando Hidesato se volvió a mirar, se sorprendió al ver que el dragón había desaparecido. En cambio, vio a un hombre de aspecto extraño que inclinaba la cabeza hacia el suelo como en una ceremonia. El hombre tenía un pelo rojo brillante que le pasaba por los hombros y formaba una corona sobre su cabeza en forma de cabeza de dragón. La ropa del hombre era verde mar y estaba cubierta con un patrón que se asemejaba a las conchas marinas. Hidesato sabía que este no era un hombre ordinario, e inmediatamente comenzó a preguntarse qué significaba todo esto. ¿Cómo es que el dragón desapareció tan rápido y sin hacer ruido?, se preguntó. ¿Se convirtió el dragón en este hombre y qué podría significar eso? Con eso, Hidesato se acercó al hombre y habló—: ¿Acabas de llamarme?

El extraño respondió—: Lo hice. Debo pedirte algo. ¿Crees que podrías ayudarme?

Hidesato habló—: Si soy capaz de hacer esto, lo haré, pero primero, dime quién eres.

El extraño hombre le dijo—: Soy el Rey Dragón. Mi casa está en este lago, y vivo directamente debajo del puente.

Hidesato le pidió que explicara la tarea que requería, y el Rey Dragón se lo explicó:

—Quiero que mates a mi mayor enemigo, el ciempiés, que vive más allá de aquí en la montaña. —continuó:

—He vivido en este lago durante muchos años; ahora tengo muchos hijos y nietos. Durante años hemos vivido aterrorizados porque el monstruo ciempiés baja de la montaña, noche tras noche, y se roba a un miembro de mi familia. Si esto continúa por mucho más tiempo, se llevará a todos mis hijos y seguramente vendrá por mí. La situación es tan grave que decidí pedir la ayuda de un humano. Durante muchos días esperé en el puente en la forma del aterrador dragón. Todos los que se acercaron huyeron horrorizados. Eres el primer mortal que ha sido capaz de mirarme y pasar al otro lado sin miedo. ¿Me ayudarás a destruir el ciempiés?

Hidesato se conmovió con la historia, y le prometió al extraño que lo ayudaría si podía. Hidesato le preguntó al Rey Dragón dónde podía encontrar el ciempiés. El Rey Dragón explicó que vivía en la cima del monte Mikami, pero el ciempiés venía al lago cada noche a una hora específica. Sería mejor esperar por él. Así que el Rey Dragón invitó a Hidesato a su palacio. A medida que descendían al lago, el agua se separaba. Aunque fue llevado a lo profundo del lago, nada lo mojó a él o a sus ropas. Hidesato había escuchado las historias del Rey del Mar que vivía en un magnífico palacio, servido por los peces del mar. Pero nada preparó a Hidesato para la belleza del palacio del Rey Dragón. Las paredes de mármol blanco formaban el palacio en el corazón del lago Biwa. Allí estaban todos los peces del lago. Peces de colores, carpas rojas y truchas plateadas formaban el séquito de sirvientes que asistían al Rey Dragón y a su invitado.

Hidesato estaba sorprendido por el banquete que se les ofreció. Se les sirvió flores de loto cristalizadas. Comieron con palillos hechos de ébano. Mientras comían, las puertas corredizas se abrieron, y diez hermosas bailarinas de peces dorados los entretuvieron. Diez músicos de carpa roja tocaron el koto y el samisen. Se olvidaron del ciempiés en el banquete y el entretenimiento continuó hasta la medianoche. El Rey Dragón estaba a punto de levantar una copa de vino en honor al guerrero cuando escucharon los estruendosos pasos de lo que parecía un ejército invasor.

Hidesato y el Rey Dragón corrieron a un balcón, y pudieron ver a lo lejos, bajando de una montaña, dos brillantes bolas de fuego. El Rey Dragón tembló de miedo.

El Rey Dragón gritó—: Es el ciempiés. Viene por su presa. ¡Ahora es el momento de atacarlo y matarlo!

Hidesato miró el panorama; tensando sus ojos, pudo ver, justo más allá de las bolas de fuego, el cuerpo de un enorme ciempiés. Su cuerpo bajaba por la montaña, y sus muchas patas brillaban como linternas en el cielo.

Hidesato no mostraba signos de miedo. Intentó calmar al Rey Dragón—. No temas. Mataré al ciempiés. Tráeme mi arco y mi aljaba.

El Rey Dragón le trajo su arco y su aljaba. Hidesato se sorprendió al ver que solo le quedaban tres flechas en su aljaba. Hidesato puso una flecha en su lugar y la dejó volar. Para su sorpresa, la flecha golpeó al ciempiés justo entre los ojos, pero rebotó en su cuerpo blindado sin dañarlo. Sin inmutarse, colocó otra flecha en su lugar.

Esta también la dejó volar. Esta golpeó al ciempiés en el centro de su cabeza, pero esta también rebotó sin dañarlo. El ciempiés no podía ser herido con armas. El Rey Dragón vio esto y se desanimó.

A Hidesato le quedaba una flecha en su aljaba. Si no lograba detener al ciempiés con esta flecha, seguro que llegaría al lago. Había envuelto su enorme cuerpo alrededor de la montaña siete veces. La luz de sus cien pies se reflejaba en las aguas del lago. Se estaba acercando.

Hidesato pensó por un momento y recordó que una vez había oído que la saliva humana era mortal para los ciempiés. Se preocupó, sin embargo, de que no se tratara de un ciempiés ordinario. Era un monstruo que hacía estremecer con solo verlo. Sabía que era su última oportunidad. Sacó la flecha de la aljaba y se la puso en la boca. Dejó que la flecha volara.

La flecha golpeó al ciempiés en el medio de su cabeza, y esta vez perforó el cráneo hasta el cerebro. La criatura se detuvo, y dejó escapar un horroroso escalofrío mientras el fuego de sus ojos se atenuaba. Las cien patas también se oscurecieron. Mientras la luz se desvanecía, el cielo entero se oscureció. Los relámpagos parpadearon, y los vientos de tormenta azotaron como si el mundo se acabara. El Rey Dragón y sus hijos, todos los sirvientes y todos los artistas se acobardaron con miedo mientras el palacio mismo temblaba. Al final, el día amaneció, y el ciempiés se había ido de la montaña.

Hidesato saludó al Rey Dragón y lo invitó a salir al balcón y ver por sí mismo; el ciempiés estaba de hecho muerto. Ante esto, todos los habitantes del palacio se regocijaron. Hidesato señaló el cuerpo del ciempiés que flotaba en el lago mientras pintaba las aguas de rojo con su sangre.

El Rey Dragón estaba tan agradecido que no pudo contenerse. Toda su familia se inclinó ante Hidesato y lo llamaron el guerrero más valiente de todo Japón.

El rey preparó otro festín para agradecer al guerrero. Se preparó todo tipo de pescado: estofado, hervido, asado y crudo. Se prepararon platos hechos con el mejor coral y cristal para el festín. El Rey Dragón sirvió el vino más exquisito que Hidesato había probado jamás. Ese día, el sol brilló en el reino, y el lago como nunca antes había brillado.

El rey no quería que Hidesato se fuera e intentó persuadirlo de que se quedara. Hidesato le dijo al rey que debía irse. Había cumplido las aventuras que se había propuesto encontrar. El Rey Dragón y su familia lamentaron que se fuera, y en su gratitud, el rey y su familia le dieron al guerrero que se le daba regalos por liberarlos de los terrores del ciempiés.

Cuando Hidesato se levantó para irse, apareció una fila de peces sirvientes. Vestidos con elegantes túnicas ceremoniales, pusieron los regalos del Rey Dragón:

Primero, una campana de bronce.

Segundo, una bolsa de arroz.

Tercero, un rollo de seda.

Cuarto, una olla.

Quinto, una campana.

Al principio, Hidesato trató de rechazar los regalos educadamente, pero el Rey Dragón insistió. Hidesato no quiso ofender la generosidad del rey y aceptó amablemente los regalos. Se designó un séquito de sirvientes para transportar los regalos a la casa de Hidesato.

Mientras estaba fuera, los sirvientes de la casa de Hidesato se preguntaban dónde había ido. Estaban preocupados, pero concluyeron que debió ser arrastrado por la tormenta de la noche anterior. Cuando los sirvientes vieron a Hidesato regresar, se asombraron al ver la gran procesión que lo acompañaba. Anunciaron a la casa que había regresado. Tan pronto como los hombres del Rey

Dragón dejaron los regalos en la entrada de Hidesato, desaparecieron completamente.

Hidesato relató todo lo que le había pasado a su casa. Estaban asombrados por el cuento. Resultó que todos los regalos del Rey Dragón tenían un poder mágico. Solo la campana resultó ser ordinaria, y Hidesato la presentó en un templo cercano para que pudiera sonar a cada hora del día.

La bolsa de arroz era inagotable. No importaba cuánto sacaran el guerrero y su familia de la bolsa, siempre permanecía llena.

El rollo de seda nunca se acababa. Una y otra vez, cortaban trozos para hacer trajes y siempre quedaba el rollo de seda.

La olla preparaba la comida más suntuosa. Todo lo que se cocinaba en ella se volvía delicioso, y se cocinaba sin necesidad de fuego.

Hidesato se hizo conocido en todo Japón. Debido a que nunca necesitó comida, fuego o ropa, finalmente se hizo muy rico. Debido a esto, finalmente se le conoció como Mi Señor Bolsa de Arroz.

La historia de Urashima Taro

En la antigüedad, en la provincia de Tango, había un joven pescador que vivía en el pueblo pesquero de Mizu-no-ye. Su nombre era Urashima Taro. Era hijo de un pescador, y las habilidades que aprendió de su padre se habían más que duplicado en él. Urashima Taro era el pescador más hábil de esa parte de Japón y podía pescar más bonito y tai en un día que cualquier otro pescador en una semana.

Aunque era muy respetado por sus habilidades de pesca, era más conocido por su buen corazón. Nunca le hizo daño a nadie ni a nada. Ninguna criatura era demasiado pequeña para su bondad. Incluso cuando era un niño, sus amigos se burlaban de él porque no se unía cuando los otros niños se burlaban de los animales pequeños. No quería formar parte de este tipo de crueldad.

Una noche, mientras volvía a casa después de un día de pesca, escuchó un gran alboroto de una multitud de niños. Comprobó de qué se trataba el ruido y descubrió que un grupo de niños atormentaba a una tortuga. Un niño tiró una tortuga. Otro niño tiró a la tortuga en otra dirección. Otro niño golpeó al animal con un palo mientras que otro lo golpeó con una roca.

Urashima inmediatamente sintió lástima por la tortuga y llamó a los niños:

—Dejen de atormentar a ese animal—dijo—. ¡Si siguen así, morirá!

A los chicos no les importó. Estaban en una edad en la que la crueldad era muy común entre los chicos. Uno de los chicos mayores respondió a Urashima:

—A quién le importa si vive o muere. No nos importa. Haremos lo que queramos.

Y así, los chicos siguieron con sus tormentos a la tortuga. Fueron incluso más crueles que antes. Urashima pensó en cómo tratar a los chicos y decidió que tal vez podría convencerlos de que le dieran la tortuga. Les sonrió y les habló:

—Chicos, deben estar cansados de esto. ¿Por qué no me dan la tortuga? Me encantaría tenerla y llevármela a casa.

Los chicos se negaron y dijeron—: ¿Por qué deberíamos darte la tortuga? La atrapamos y es nuestra.

Urashima respondió—: Obviamente, esto es cierto. Atraparon a la tortuga, y no les pido que me la den gratis. Les compraré la tortuga con dinero. ¿Qué piensan de eso?—Urashima levantó una cuerda que contenía varias monedas enroscadas en el centro. Continuó—: Miren estas monedas. Pueden comprar lo que quieran con este dinero. Vale mucho más que esa vieja tortuga. Ahora sean buenos y véndanme la tortuga.

El hecho es que los chicos no eran malos después de todo. Eran solo chicos traviesos, y pronto Urashima se los ganó. Sus amables palabras y su amable sonrisa los persuadió "de ser de su espíritu", como dice la expresión japonesa. Finalmente, el mayor le ofreció la tortuga.

—Muy bien, Ojisan (que significa "tío"), puedes quedarte con la tortuga si entregas el dinero—dijo uno de los chicos. Urashima les dio las monedas, y los chicos le dieron la tortuga. Entusiasmados con sus recién adquiridas riquezas, salieron corriendo rápidamente.

Urashima sostuvo la tortuga y le habló—: Pobrecita, estás a salvo conmigo. He oído que la cigüeña vive mil años, pero la tortuga vive diez mil años. Qué cerca estuviste de que esa larga vida se acortara demasiado. Si no hubiera pasado por aquí, esos chicos seguramente te habrían matado solo por diversión. Ahora te llevaré al mar para que puedas encontrar el camino a casa. Ten cuidado de que no te vuelvan a atrapar. Puede que no esté allí para salvarte la próxima vez.

Urashima llevó a la tortuga al borde del mar y la liberó. Vio como la criatura desaparecía lentamente. Mientras el sol se ponía, se dio cuenta de que estaba cansado y se fue a casa.

Al día siguiente, Urashima estaba en su barco pescando como siempre. Era una hermosa mañana. El clima era perfecto con un hermoso cielo azul en lo alto. Por la mañana, navegó hacia el mar. Arrojó su sedal al agua y continuó pasando a otros pescadores mientras se adentraba en las aguas tranquilas.

Urashima no pudo evitar reflexionar sobre la tortuga del día anterior. Se preguntó lo agradable que sería vivir durante miles de años como la tortuga.

Mientras estaba perdido en sus sueños, de repente escuchó una voz que llamaba su nombre—: ¡Urashima, Urashima!—era una voz suave y clara que llamaba por encima del agua. Urashima se levantó para ver quién lo llamaba y de dónde venía la voz desde el mar. No podía ver otro barco en ningún sitio donde mirara. No había señales de otra persona en ningún lugar. Parecía estar completamente solo.

Esto lo sorprendió al principio. Cuando miró a un lado de su barco, vio una tortuga. Era la misma tortuga del día anterior. Urashima habló:

—Vaya, vaya, pequeña tortuga. ¿Fuiste tú quien me llamó?

La tortuga asintió con la cabeza y dijo:

—En efecto, fui yo quien te habló. Ayer, o kage sama de (que significa gracias a ti, o, en tu honorable sombra), se me perdonó la vida. Vengo a ti ahora para darte las gracias y ofrecerte mi gratitud por tu bondad y espíritu generoso.

Urashima respondió—: Es muy amable de tu parte. Sube a mi barco. Te ofrecería un cigarrillo, pero como eres una tortuga, estoy seguro de que no fumas. —Urashima se rió de esto.

La tortuga se rio y dijo—: Me encantaría un poco de sake; es mi favorito. Pero tienes razón, no fumo.

Urashima le dijo entonces a la tortuga—Me disculpo. No tengo sake conmigo, pero ven a mi barco y sécate al sol.

La tortuga subió al barco con un poco de ayuda de Urashima. Mientras se acomodaba al cálido sol, le preguntó a Urashima:

—Urashima, ¿has visto alguna vez el palacio de Rin Gin, el Rey Dragón del mar?

Urashima respondió:

—No, he oído hablar a menudo del reino del Rey Dragón bajo el mar, y aunque he pasado muchos años en el mar, nunca he visto el palacio de Rin Gin con mis propios ojos. Debe estar muy lejos. Me pregunto si siquiera existe.

—Así que nunca has estado en el palacio del Rey del Mar—dijo la tortuga—. Entonces no has visto una de las vistas más magníficas del universo. Está muy lejos bajo el mar, pero conozco el camino, y puedo llevarte allí. Si quieres ver el reino del Rey del Mar, te guiaré hasta allí.

A lo que Urashima dijo—: Me encantaría ir allí, y es muy amable de tu parte ofrecerte a guiarme. Pero debes entender que soy un hombre mortal. No soy capaz de nadar en el mar de la manera en que tú lo haces.

La tortuga lo detuvo y le dijo—: No pienses nada de esto. No tendrás que nadar. Puedes montar en mi espalda todo el camino hasta allí.

Urashima miró a la tortuga y vio su pequeño tamaño. Dijo—: ¿Cómo es posible que quepa en tu espalda? Eres tan pequeña.

La tortuga simplemente explicó—: Solo inténtalo y verás.

Cuando la tortuga pronunció estas últimas palabras, Urashima le dio una segunda mirada. La tortuga había crecido lo suficiente como para que un hombre de tamaño normal se sentara en su espalda. Urashima se dijo a sí mismo—Esto es realmente extraño, pero está bien...

La tortuga se comportó como si nada estuviera fuera de lo normal y dijo—: Cuando estés listo, saldremos. —con eso, saltó al mar llevando a Urashima en su espalda. Bajaron, cada vez más profundo en el mar. Urashima no solo no se cansó, sino que ni siquiera se mojó en el mar. Después de un largo viaje, Urashima vio a lo lejos una magnífica puerta. Detrás de la puerta, podía ver los tejados de un palacio impresionante.

Urashima habló con emoción— ¡Esto parece la puerta de un tremendo palacio! Tortuga, ¿qué es este maravilloso lugar?

La tortuga respondió—: Esa es la puerta del palacio Rin Gin. Más allá de eso, el gran tejado que ves es el propio palacio del Rey del Mar.

—Así que hemos llegado al palacio del Rey del Mar—dijo Urashima. Estaba completamente asombrado.

La tortuga le respondió—Hemos llegado. Eso fue rápido, ¿no crees? Debes caminar desde este punto.

La tortuga se acercó a la puerta y habló con el pez que era el guardián de la puerta:

—Este es Urashima Taro del país de Japón. Lo he traído al palacio del Rey del Mar como invitado. ¿Serías tan amable de hacerle pasar?

Todos los vasallos del rey salieron a saludar a Urashima. El besugo, la platija, el lenguado, la sepia, todos ofrecieron reverencias cortesanas al invitado.

Le dieron la bienvenida y dijeron—: ¡Urashima Sama! Bienvenido al palacio del Mar, el hogar del Rey Dragón del Mar. ¡Eres muy bienvenido! Nos sentimos honrados de tener un invitado de un país tan lejano. Y a ti, Sr. Tortuga, te agradecemos que hayas guiado a Urashima hasta aquí. Síguenos y permítenos ser tus guías.

Urashima era solo un pobre pescador. No sabía cómo comportarse en un lugar tan grande. Sin embargo, se sintió bienvenido y tranquilo y siguió a sus guías hasta el interior del palacio. Cuando llegó a la entrada, fue recibido por una princesa. Era impresionante, más hermosa que cualquier humano. Su vestido era de un color rojo y verde suave que le recordaba a Urashima la parte inferior de una ola. Sus hilos dorados se tejían a través de su vestido que brillaba al mirar. Su pelo era negro, y fluía sobre sus hombros como una princesa de antaño. Su voz era como la música del agua. Su belleza y majestad golpeó completamente a Urashima. En su asombro, Urashima casi olvidó hacer una reverencia a la dama, pero tan pronto como se preparó para hacerla, ella lo tomó de la mano y lo llevó a un lugar de honor en el extremo superior del salón. Le pidió que se sentara.

La princesa habló—: Urashima Taro, es un gran honor y placer darte la bienvenida al palacio de mi padre. Ayer salvaste la vida de una tortuga. Yo era esa misma tortuga, y he mandado llamarte para darte las gracias. Si quieres, puedes vivir aquí para siempre, y yo seré tu novia. Es verano para siempre en este reino, y aquí no hay tristeza.

¡Vivirás en la eterna juventud, y nosotros viviremos en la felicidad para siempre!

Urashima estaba asombrado por sus palabras y el sonido de su voz. Estaba lleno de asombro y alegría, y pensó que tenía que estar soñando. Al final, respondió:

—Te agradezco mucho tu amabilidad. Nada me gustaría más que quedarme en este magnífico lugar. Hasta hoy, solo he escuchado historias distantes de este reino. No tengo palabras para lo que he visto aquí.

Mientras hablaba se reunió un gran grupo de sirvientes reales. Todos estaban vestidos con las más exquisitas ropas ceremoniales y llevaban grandes bandejas hechas de coral llenas de las más deliciosas comidas. Peces y algas, el tipo de cosas con las que solo había soñado antes. Pusieron todo esto delante de la novia y el novio. Todo se celebró con un esplendor asombroso. Todo el reino del Rey del Mar se regocijó. La pareja hizo sus votos tres veces con la copa nupcial. La música comenzó a sonar, y los peces de oro y plata salieron de las olas y comenzaron a bailar. Urashima nunca había conocido tal felicidad. Nada en su vida le preparó para la alegría de este momento.

Cuando todo se tranquilizó, la princesa le preguntó a Urashima si le gustaría pasear por el palacio y ver todo el reino. Siguió a la princesa mientras le mostraba el palacio. Las paredes estaban hechas de coral e incrustadas con perlas. Había maravillas en todas partes donde miraba que excedían sus palabras. No podía ni siquiera empezar a describir lo que veía. Este era un reino de eterna juventud y felicidad.

Posiblemente lo más sorprendente para Urashima era el jardín que mostraba las cuatro estaciones al mismo tiempo. El invierno, la primavera, el verano y el otoño podían verse todos a la vez. En una dirección vio ciruelos y cerezos en flor en primavera. Las mariposas volaban de flor en flor mientras los ruiseñores cantaban.

En otra dirección, vio el verde exuberante del verano. Podía oír la cigarra del día y el grillo de la noche.

Aun así, en otra dirección, Urashima vio las gloriosas hojas del otoño. Magníficos crisantemos estaban en flor.

Por fin, miró hacia el norte, donde vio las nevadas escarchadas del invierno. Los árboles y los bambúes estaban cubiertos de nieve, y ante sus ojos, pudo ver un estanque congelado.

Cada día que pasaba le traía más maravillas y lo deslumbraba de felicidad. Después de tres días, sin embargo, comenzó a recordar quién era y de dónde venía. Empezó a recordar todo lo que dejó atrás, sus padres y su propio país. Empezó a pensar que no pertenecía realmente al reino del Rey del Mar. Finalmente se dijo a sí mismo:

—No creo que pueda quedarme aquí. Tengo una madre anciana y un padre anciano en casa. ¿Qué será de ellos en mi ausencia? Deben estar muy preocupados. Debo irme a casa antes de que pase otro día. —con eso, empezó a prepararse rápidamente para volver a casa.

Luego fue donde su hermosa esposa, la princesa. Se inclinó ante ella y habló:

—Princesa, he sido muy feliz aquí contigo. Has sido tan amable conmigo. Sin embargo, tengo que despedirme de ti y volver a mi país y a mis padres.

La princesa Otohime comenzó a llorar. Ella habló con una voz suave:

—Temo que no eres feliz aquí. ¿Por qué otra razón desearías dejarme tan pronto? ¿Por qué tienes tanta prisa? Por favor, quédate un día más.

Incluso mientras ella hablaba, tan hermosa como encontró su alegato, recordó a sus padres. Su deber hacia sus padres era más fuerte que cualquier placer o cualquier amor. No podía ser conmovido. Urashima le respondió:

—Lo siento, mi princesa, no deseo dejarte. No debes pensar eso. Es que debo ir con mis padres. Solo déjeme ir por un día, y te prometo que volveré contigo.

Aunque estaba muy triste, le dijo—: Entonces no hay nada que pueda hacer. Te dejaré ir con tu padre y tu madre este mismo día. En lugar de tenerte conmigo un día más, te enviaré a casa por un día. Primero, déjame darte esta muestra de nuestro amor para que la lleves contigo. —le dio una hermosa caja lacada. Tenía un cordón de seda atado alrededor con borlas de seda roja.

Urashima recibió el regalo, pero se lo pensó dos veces antes de tomarlo. Le dijo a la princesa—No parece apropiado que acepte más regalos después de todo lo que me has dado. Pero no quiero deshonrarte, así que lo tomaré. —Luego pensó por un momento y preguntó—: Por favor, dime qué hay en la caja.

La princesa le respondió:

—Es el tamate-bako, la caja de mano con joyas. Contiene algo extremadamente valioso y precioso. No debes abrir la caja pase lo que pase, o te pasará algo terrible. Por favor, prométeme que no abrirás la caja.

Urashima le prometió que no abriría la caja. Luego caminó hasta la orilla donde le esperaba una gran tortuga. Montado en la espalda de la tortuga, se dejó llevar tal y como había llegado. Cuando se fue, miró hacia atrás y se despidió de la princesa Otohime hasta que ya no pudo verla. Entonces se preparó para volver a su país.

La tortuga lo llevó a la costa familiar, y Urashima se bajó. Vio como la tortuga se alejaba nadando hacia el reino del Rey del Mar.

Mientras Urashima miraba a su alrededor, una extraña sensación se apoderó de él. Miró a la gente que pasaba y examinó cómo le miraban. Se dio cuenta de cómo le miraban de forma tan extraña. Todo parecía igual, la orilla y las montañas le resultaban familiares, pero la gente actuaba como si no le reconocieran, y él no conocía ninguna de las caras.

En su asombro, caminó a casa de sus padres y los llamó—: ¡Padre, madre, he vuelto!—en ese momento vio salir de la casa a un hombre extraño.

Pensó para sí mismo que sus padres se habían mudado mientras él no estaba. Empezó a sentirse muy nervioso, y no sabía por qué.

Pidiendo perdón al extraño, Urashima le preguntó—: Hasta hace unos días, yo vivía en esta casa. Me llamo Urashima Taro. ¿Sabes dónde fueron mis padres?

El extraño hombre parecía muy confundido. Miró a Urashima y dijo:

—¿Eres Urashima Taro?

—Soy yo—dijo Urashima.

El hombre se rió y dijo—: No eres muy bueno contando chistes. Había un Urashima Taro que vivía en esta aldea, pero esa historia tiene más de trescientos años. No es posible que esté vivo hoy en día.

Urashima escuchó esto y se congeló de horror. Volvió a hablar con el hombre:

—Por favor, créeme. Soy Urashima Taro. Estoy asombrado por esto. Dejé este mismo lugar hace no más de cuatro o cinco días. ¡Por favor, dime lo que quiero saber!

El hombre entonces se puso serio—: Tal vez seas Urashima Taro, pero el Urashima Taro que conozco vivió hace trescientos años. ¿Eres su espíritu que regresó para visitar el viejo hogar?

Urashima se desesperó un poco. Dijo—: Por supuesto que no soy un espíritu. Estoy vivo ante ti. ¡Mira mis pies!—pisoteó el suelo para mostrarle al hombre porque los fantasmas japoneses no tienen pies.

El hombre respondió—: Todo lo que sé es que Urashima Taro vivió hace trescientos años. Puedes leerlo tú mismo en las crónicas del pueblo.

Urashima se derrumbó. Estaba lleno de horror y conmocionado. Incluso cuando miró a su alrededor, todo parecía un poco diferente de lo que recordaba. Llegó a la terrible conclusión de que lo que el hombre le había dicho era cierto. Se sintió como si estuviera en un sueño. Empezó a darse cuenta de que los pocos días que había pasado en el palacio del Rey del Mar no habían sido solo días. Cada día debía haber sido cien años. Sus padres habían muerto hace muchos años mientras no estaba, y también todos los que conocía. Debían haber escrito su historia. Sabía que no podía quedarse y que tenía que volver con su esposa, la princesa, en el palacio del Rey del Mar.

Regresó a la orilla. En su mano, sostenía la caja que la princesa le había dado. No sabía qué camino tomar. Entonces recordó la caja, el tamate-bako.

Recordó lo que la princesa le había dicho; que nunca debía abrir la caja porque contenía algo muy valioso y muy peligroso. Pero se dijo a sí mismo:

Aunque sabía que estaba desobedeciendo la única orden de la princesa, se convenció de que estaba haciendo lo correcto. Lentamente aflojó la seda y los cordones de seda roja y abrió la preciosa caja de laca. De la caja salía una pequeña nube suave y tres volutas de nube con ella. Por un momento se cubrió la cara. La nube permaneció en el aire por un momento y luego flotó sobre el mar.

Hasta ese momento Urashima era joven y estaba lleno de vida. Solo tenía 24 años. Pero entonces, de repente, su pelo se volvió blanco como la nieve. Su espalda se inclinó. Su cuerpo se marchitó, y cayó muerto a la orilla del mar.

Debido a este simple acto de desobediencia, Urashima nunca pudo volver al reino del Rey del Mar y unirse a su princesa.

Los ancianos que cuentan esta historia explican a los niños que nunca deben desobedecer a los más sabios. Pueden marchitarse como Urashima por un simple acto de desobediencia.

Capítulo 6 - Héroes y heroínas populares

Los héroes y heroínas populares de Japón son demasiado numerosos para nombrarlos. Vienen de los textos antiguos discutidos al principio de este libro y de varias fuentes populares de Japón. Algunas de las figuras persisten en la imaginación del pueblo japonés hasta el día de hoy y han encontrado nueva vida en el manga y los videojuegos.

Veremos solo dos ejemplos. Es importante señalar que algunas de las acciones de estos héroes pueden parecer extrañas o desconocidas para nosotros porque las virtudes que encarnan son extrañas para nosotros hoy en día. Basta decir que los dos ejemplos siguientes son símbolos heroicos nacionales venerados en Japón. Se comportan de acuerdo a las honorables virtudes del hogar y de la corte. Son figuras admirables, y estas historias siguen siendo parte de la imaginación japonesa porque las acciones de estos héroes deben ser emuladas.

El cuento del cortador de bambú y Kaguya hime

Una vez, hace mucho tiempo, un viejo cortador de bambú llamado Taketori estaba fuera cortando bambú, y mientras abría un brillante tallo de bambú, descubrió una pequeña niña dentro de él, no más grande que su pulgar. Él y su esposa no tenían hijos, así que decidió llevarla a casa donde él y su esposa la criarían como si fuera suya. La llamaron Kaguya hime, que significa niña del bambú flexible.

A medida que la niña crecía, descubrió que cada vez que iba a cortar bambú y abría un tallo brillante, encontraba un pequeño trozo de oro. Él y su esposa pronto se hicieron extremadamente ricos. La niña finalmente creció para ser una joven de tamaño normal, pero era extraordinariamente hermosa. Taketori trató de mantener todo en secreto, pero finalmente, se corrió la voz sobre la impresionante belleza de Kaguya hime.

Con el tiempo, cinco príncipes llegaron a la casa de Taketori para pedirle la mano de su hija en matrimonio. Le suplicaron hasta que finalmente cedió e instruyó a Kaguya hime que eligiera a uno de los príncipes. Kaguya hime no quería casarse con ninguno de los príncipes y por eso, le asignó a cada uno una tarea que sabía que era imposible. Prometió que se casaría con cualquier príncipe que lograra completar esta tarea. Al primer príncipe, le ordenó que le trajera el cuenco de piedra para mendigar de Buda en la India. Le dijo al segundo que le trajera una rama de joyas de la legendaria isla de Horai. Al tercero le pidió la túnica de la rata de fuego de China. Al cuarto lo envió a buscar una joya preciosa del cuello de un dragón. Al quinto le pidió que le trajera un caparazón de vaca nacido de golondrinas.

El primer príncipe sabía que la tarea era imposible e intentó engañar a Kaguya hime con un cuenco que se parecía al que ella había pedido. Vio que era falso y lo despidió. Otros dos príncipes intentaron engañar a Kaguya hime y fueron despedidos también. Otro se rindió después de encontrar tremendas dificultades. El último príncipe murió en el intento.

Finalmente, el propio emperador de Japón fue a visitar a la extraña belleza y, después de ver lo hermosa que era, se enamoró de ella. Le pidió que se casara con él. Debido a que era el emperador, Kaguya hime no le exigió una tarea. Simplemente le dijo que no podía casarse con él porque no era del mundo y no podría irse con él al palacio. Él aceptó esto, pero continuó profesando su amor por ella.

Ese verano, mientras Kaguya hime miraba la luna llena, sus ojos se llenaron de lágrimas y su llanto se volvió inconsolable. Sus padres ancianos le preguntaron por qué estaba triste. Finalmente les dijo que no era de este mundo y que debía volver a la luna, a su gente. Se cree que la gente de la luna la envió a la tierra para encontrar cuidado en una pareja mortal para protegerla de una gran guerra en los cielos. El oro que Taketori había encontrado todos esos años era el pago de la gente de la luna.

El emperador, que estaba desesperadamente enamorado de Kaguya hime, envió a sus guardias a rodearla para que no se la llevaran. Pronto la gente celestial de la luna llegó a recuperarla. Los guardias del emperador se deslumbraron por la extraña y brillante luz. Mientras la gente de la luna la llevaba, ella escribió notas de disculpa y adiós a sus padres terrícolas. Luego tomó una pequeña muestra del elixir de la vida y la adjuntó a una carta al emperador. La gente de la luna le puso sus túnicas, y ella olvidó instantáneamente su vida en la tierra y toda su tristeza.

Los padres de Kaguya hime se vieron abrumados por la tristeza y se fueron a sus camas. El emperador leyó más tarde la nota y él también se sintió abrumado por el dolor. Envió a sus guardias a la montaña más alta con una carta para Kaguya hime e instruyó que fuera quemada en la cima de la montaña para que ella pudiera leerla. El emperador no quería vivir para siempre, así que también instruyó que el elixir de la vida se derramara en la cima de la montaña. Los guardias llevaron a cabo estas órdenes, y en la cima del monte Fuji quemaron la carta y derramaron el elixir de la vida. Así es como el monte Fuji llegó a obtener su nombre, que significa "Montaña que se llena de guerreros".

Yamato Takeru

La leyenda de Yamato Takeru está tomada tanto de los *Kojiki* como de los *Nihon Shoki*. La importancia de este gran héroe no puede ser sobre enfatizada. Algunos lo consideran una figura análoga al rey Arturo en su heroísmo y grandeza.

Algunos creen que Yamato Takeru fue una figura histórica, el hijo del 12º emperador de Japón y que vivió en algún momento del siglo IV. Los historiadores actuales tienden a dudar de esto. Se cree que los "hechos" históricos de los *Kojiki* y los *Nihon Shoki* son, en el mejor de los casos, una mezcla de realidad y ficción diseñada para crear una línea genealógica recta desde los dioses hasta los emperadores históricos reales.

La leyenda de Yamato Takeru

Originalmente llamado príncipe Yamato, Yamato Takeru mató a su hermano mayor. Su afligido padre le temía desde entonces y lo desterró a la provincia de Izumo, y luego a la tierra de Kumaso para luchar contra los criminales y los rebeldes.

Antes de irse, el príncipe Yamato rezó en el santuario de Amaterasu, la diosa del Sol, y pidió sus bendiciones. Como su tía era una sacerdotisa de los santuarios de Ise, le regaló una túnica de seda y le dijo que le daría buena suerte. Luego partió con su esposa y pocos seguidores leales, hacia la isla de Kyushu para luchar contra los rebeldes y los criminales.

El emperador esperaba que derrotara al príncipe enviándolo a una muerte segura, de hecho, el príncipe demostró ser un gran guerrero. Derrotó a todos los que se le resistían.

En una ocasión en particular, el príncipe Yamato se vistió de mujer envolviéndose con una túnica de seda. Se puso un peine en el pelo y se adornó con joyas. De esta manera, pudo entrar en la tienda de sus enemigos durante un banquete. En un momento dado, el líder de la banda le pidió a Yamato que le sirviera como sirvienta. Disfrazado, Yamato se acercó al hombre y lo mató a él y a su hermano. Mientras el líder moría, preguntó quién era la mujer que lo había destruido. Tan pronto como lo descubrió, nombró al héroe Yamato Takeru, que significa "El más valiente Yamato".

El rey seguía temiendo a Yamato Takeru. Le ordenó que fuera a luchar a las provincias del este donde había gente que desobedecía a la autoridad imperial.

Después de derrotar a los rebeldes del este, Yamato Takeru se encontró con un rebelde forajido llamado Idzumo. Yamato Takeru sabía que tenía que ser más listo que el forajido para poder vencerlo, así que se hizo amigo de Idzumo durante un tiempo. Idzumo invitó a Yamato Takeru a ir a nadar. Mientras Idzumo estaba en el agua, Yamato reemplazó la espada de Idzumo por una de madera. Después de salir del agua, Yamato Takeru le retó a un duelo. Como Idzumo solo estaba armado con una espada de madera, Yamato Takeru lo derrotó fácilmente.

Con esto, fue recibido en el palacio imperial como un conquistador y un héroe. El rey ofreció un fastuoso festín en su honor.

Poco después de esto, Yamato recibió la orden de derrotar otra rebelión. Esta vez la sublevación de Emishi en el este. Como antes, fue a rezar a la diosa del Sol. Su tía le dio otra vez un regalo mágico. Esta vez le dio la gran espada llamada Kusanagi no turugi que una vez perteneció a los dioses. Esta era la espada descubierta por Susano-o, el hermano de la diosa del Sol Amaterasu. Esta fue la espada que Susano-o usó para derrotar a la serpiente de ocho cabezas en la antigüedad. Su tía también le dio una bolsa de pedernales para que hiciera fuego.

Mientras Yamato Takeru estaba en la provincia de Suruga, fue invitado a ir a la caza de ciervos. Mientras estaba en la cacería, Yamato notó llamas que lo rodeaban en la hierba alta. Un incendio forestal se acercaba a él, y las llamas y el humo estaban cerca de cortar su ruta de escape. Entonces recordó los pedernales que su tía le dio, y rápidamente los golpeó en la hierba más cercana a él. Al mismo tiempo, Yamato blandió la gran espada Kusanagi y cortó las altas hojas verdes de hierba que le abrían un camino para escapar. En ese momento, un gran viento alejó las llamas de él. Yamato se dio cuenta de que los miembros de la tribu Emishi lo habían atrapado. Después de huir de una muerte casi segura, la espada fue llamada la Espada de Cuchillo de Hierba.

Yamato Takeru se aventuró más al este después de derrotar la rebelión de los Emishi. Ganó muchas victorias a lo largo del camino. Durante un episodio, su princesa se arrojó al mar como sacrificio para aplacar la ira de los dioses.

Yamato Takeru continuó derrotando a una gran serpiente en las montañas que aterrorizaba a la gente y la devoraba. Destruyó la serpiente retorciendo sus brazos alrededor de ella. Aunque fue picado por la criatura malvada, sobrevivió.

El príncipe Yamato Takeru también escribió los primeros poemas de renga venerados en Japón. Después de todas sus conquistas, murió de una enfermedad que se cree es el resultado de un dios local a quien había maldecido en su juventud. Al morir, se transformó en un chorlito blanco.

El príncipe Yamato Takeru es venerado como un gran héroe en Japón hasta el día de hoy.

Capítulo 7 - Versiones contemporáneas de la mitología japonesa

Dado que muchos de los mitos y leyendas japonesas todavía resuenan en el pueblo japonés, muchos de estos cuentos antiguos han encontrado una nueva vida en la cultura contemporánea. El anime, el manga y los videojuegos han hecho un buen uso de las historias fantásticas del antiguo Japón.

No es de extrañar que los mitos y cuentos que hemos cubierto se encuentren en los cómics y dibujos animados modernos. La magia fantástica, aterradora y hermosa que asiste a tanto de la tradición japonesa hace una fácil transición a los cuentos animados de maravillas. Al mismo tiempo, ya que gran parte de esta mitología es todavía parte de la imaginación moderna en Japón, los cuentos son fácilmente identificables para los lectores modernos.

El *Kojiki* ha cobrado vida en forma de manga. Hay versiones que han animado completamente el texto y otras que son más como novelas gráficas. El grado de fidelidad al original varía, ya que algunos autores e ilustradores se han interesado más por las aterradoras batallas y los viajes al infierno que por la espiritualidad que se encuentra en el libro. En cualquier caso, el *Kojiki* ha sido una fuente fructífera para muchas de las versiones animadas más populares de la mitología japonesa. Hay estudios académicos completos sobre este tema solamente.

Los yokai han proporcionado a las industrias del manga y de los videojuegos material infinito para sus monstruos y héroes. Shuten Doji vuelve a la vida en una serie de manga en la que asume las características de un superhéroe, aunque su estatus de demonio y destructor nunca está lejos. La cantidad de series de manga que cooptan a los yokai son demasiado numerosas para enumerarlas.

Una fuente importante para la mayoría de las narraciones contemporáneas de la mitología y el folclore japonés es la colección de cuentos Yakushima. Esta colección reúne un número de mitos y leyendas que surgieron de un lugar real en Japón. La isla de Yakushima tiene un estatus legendario en Japón. Es casi un círculo perfecto en el extremo sur del país. Llena de exuberantes bosques y espacios ocultos, Yakushima es precisamente el tipo de lugar que asociamos con la magia y el mito. De todos los cuentos que surgieron de los cuentos de Yakushima, sin duda el más famoso es el de la princesa Mononoke. Esta historia fue adaptada para una película de gran éxito producida por el casi igualmente legendario Studio Ghibli y dirigida por Hayao Miyazaki en Japón. Fue doblada al inglés y disfrutó de un exitoso recorrido por todo el mundo. El origen del cuento se encuentra en los mitos y leyendas de Yakushima.

La historia de la princesa Mononoke implica una batalla entre las fuerzas de las nuevas armas y máquinas modernas contra los dioses y encantos de los bosques de Yakushima. "Mononoke" no es un nombre propio sino el nombre de los espíritus del bosque, los mismos espíritus que se cree que habitan en Yakushima. A medida que el príncipe Ashitaka aprende a negociar los diferentes reinos de los espíritus y los humanos que buscan utilizar los recursos de los bosques, el conflicto entre estos dos reinos se intensifica.

Las batallas entre los espíritus, liderados por la gran diosa lobo, y los humanos que invaden los bosques místicos es, en muchos sentidos, una historia del choque entre el viejo y el nuevo Japón. Como vimos en los primeros cuentos y mitos de Japón, prácticamente todo en la naturaleza estaba animado y encantado con alguna forma de dios o espíritu. A medida que Japón se adentraba en la era moderna, y la mecanización de su mundo se apoderó de estas costumbres y creencias, los poderes de estos mitos perdieron su fuerza.

Con las versiones contemporáneas de la mitología japonesa, vemos en películas como la de la princesa Mononoke; quizás vemos el resurgimiento del poder del mito japonés en la cultura japonesa contemporánea. Estos mitos y leyendas todavía tienen mucho poder en la vida moderna, y el éxito masivo de esta película lo demuestra.

Conclusión

Los mitos, leyendas y cuentos populares japoneses son numerosos. Japón es una cultura antigua y las historias mitológicas que se remontan a tiempos anteriores a la escritura son turbias y misteriosas. Cada región de Japón tiene sus propios mitos y leyendas que animan los lugares sagrados e incluso los hogares individuales. La tradición japonesa de adorar a los antepasados ofrece en sí un mundo de leyenda y mito.

Viendo solo esos textos antiguos, el *Kojiki* y el *Nihon Shoki*, podemos ver que hay un mundo de cosas para estudiar. Los dos libros se superponen de muchas maneras, pero cada uno ofrece su propia versión. Como todos los textos que han sido considerados sagrados a través de los tiempos, los estudiosos han hecho mucho con las más pequeñas diferencias. Los que estudian y practican la religión sintoísta que fue eventualmente moldeada por estos textos antiguos encontrarán una razón para dividir las páginas por las diminutas diferencias entre los dos libros.

Los yokai son otro tema de la mitología japonesa que puede ser estudiada toda la vida. Hay una gran cantidad de variedades de yokai. Algunos de los yokai son específicos de ciertas partes de Japón. Estos también han dado a los estudiosos y lectores interesados un suministro inagotable de cosas para explorar.

Vimos a los tres yokai más malvados porque se considera que tienen una influencia perniciosa en la historia de Japón. Ya sea que uno vea estas cosas como verdaderas o no, son las causas mitológicas de una importante perturbación en la sociedad civil japonesa. Shuten-doji parece ser el principal culpable del desmoronamiento del Japón imperial.

Los cuentos de hadas se encuentran en todo el mundo. Japón no es diferente en este aspecto. Como los cuentos de hadas que vemos en casi todo el mundo, las hadas de la mitología japonesa son difíciles de entender. Son traviesas, útiles, malvadas, aterradoras, hermosas - todo lo que uno podría imaginar sobre las hadas. Juegan el mismo papel en la sociedad japonesa que en cualquier otro lugar. Ofrecen fábulas así como historias maravillosas.

Finalmente, los japoneses valoran a sus héroes. Hay también una gran cantidad de mitología en este reino. Solo viendo a Yamato Takeru, podemos preguntarnos cuántas versiones de esta historia deben estar en circulación.

Hay un resurgimiento del interés en la mitología y el folclore de Japón. Este interés obviamente está floreciendo en Japón, pero ha encontrado una audiencia y lectores en todo el mundo. Los antiguos yokai proporcionan una gran cantidad de material para el manga y el anime. Actualmente hay estantes enteros de libros de manga disponibles que hacen uso de las leyendas yokai. Estos espíritus y demonios cobran vida como nunca antes con los talentosos ilustradores y narradores que traen estos libros al mundo. Una vez más, el número de lectores de estos libros es global. Resulta que la mitología japonesa está en sintonía con la gente de todo el mundo.

El anime y los videojuegos pueden dar vida a las viejas leyendas en formas que nadie podía imaginar en tiempos pasados. Estos medios de comunicación animan y vuelven a imaginar historias que se remontan a la época de los *Kojiki*. Los poderes de esos dioses y diosas fundadores pueden ser traídos a la vida y presentados en forma interactiva en estos nuevos y emergentes medios.

Películas como la *Princesa Mononoke* han traído la mitología del antiguo Japón al mundo a gran escala. El éxito de esta película por sí sola no tiene precedentes, y toda la fuente de esta película proviene de la mágica y mítica isla de Yakushima. Podemos provisionalmente sacar dos conclusiones del éxito de esta película. Los antiguos mitos y leyendas de Yakushima están vivos y todavía tienen una gran fuerza incluso para la imaginación moderna. Y la mitología de Japón sigue siendo un reino inagotable hasta el día de hoy. Nuestro mundo moderno, tan dominado por la tecnología, sigue siendo impulsado por los mitos y leyendas de la antigüedad. Debajo de nuestro sentido de sofisticación, seguimos estando tan encantados por los dioses y diosas, serpientes y lobos, criaturas mágicas tanto malvadas como buenas - en nuestro interior hay el mismo sentido de asombro por el mundo que esos ojos y oídos que registraron el *Kojiki*.

Vea más libros escritos por Matt Clayton

Referencias

Los siguientes enlaces proporcionarán material de referencia para todo en este libro. En algunos casos encontrará enlaces de texto completo a fuentes primarias.

http://www.jinjahoncho.or.jp/en/image/soul-of-japan.pdf

https://library.uoregon.edu/ec/e-asia/read/*Kojiki*.pdf

https://www.enotes.com/topics/*Kojiki*

http://www.sacred-texts.com/shi/kj/index.htm

http://qcpages.qc.cuny.edu/~mfujimoto/EAST%20251/Handbook%20of%20Mythology%20intro1.pdf

https://books.google.com/books?id=gqs-y9R2AekC&pg=PA306&lpg=PA306&dq=michael+ashkenazi+japanese+mythology+read+online&source=bl&ots=Q00I43jxfh&sig=kRxVjkiB1ZMXf63PiODzHswJRJM&hl=en&sa=X&ved=2ahUKEwiw_YqP-4zZAhXRhOAKHQoCB0k4ChDoATANegQIERAB#v=onepage&q=michael%20ashkenazi%20japanese%20mythology%20read%20online&f=false

http://folklorethursday.com/legends/three-evil-yokai-japan/#sthash.Ue7TT11z.dpbs

http://yokai.com/about/

https://en.wikipedia.org/wiki/Toriyama_Sekien

http://nihonshoki.wikidot.com/

http://www.univie.ac.at/rel_jap/k/images/0/03/Kuroda_1981.pdf

https://www.gutenberg.org/files/4018/4018-h/4018-h.htm

Printed by BoD™in Norderstedt, Germany